MAZURY
NAJPIĘKNIEJSZE ZAKĄTKI

TWOJA PLANETA

MAZURY
NAJPIĘKNIEJSZE ZAKĄTKI

WSTĘP
MAZURY

MAZURY TO REGION USYTUOWANY W PÓŁNOCNO-WSCHODNIEJ POLSCE, ADMINISTRACYJNIE ZALICZANY DO WOJEWÓDZTWA WARMIŃSKO-MAZURSKIEGO, A GEOGRAFICZNIE OBEJMUJĄCY OBSZAR POJEZIERZA MAZURSKIEGO I POJEZIERZA IŁAWSKIEGO. NAJWIĘKSZYM JEGO BOGACTWEM JEST WSPANIAŁA PRZYRODA. TO WŁAŚNIE W TYM REJONIE MOŻNA ZNALEŹĆ NAJWIĘCEJ REZERWATÓW I WIELE RZADKICH, ZAGROŻONYCH WYGINIĘCIEM GATUNKÓW FAUNY I FLORY. TUTEJSZE JEZIORA, LASY, TORFOWISKA, MALOWNICZO UKSZTAŁTOWANE ŁĄKI I POLA UPRAWNE ORAZ RZEKI URZEKAJĄ SWOIM PIĘKNEM. JEST TO TAKŻE OBSZAR FASCYNUJĄCY GEOLOGICZNIE I GEOMORFOLOGICZNIE. NA UKSZTAŁTOWANIE TERENU, BĘDĄCE WYNIKIEM DZIAŁANIA LODOWCA, SKŁADAJĄ SIĘ POZOSTAŁOŚCI WZGÓRZ MORENOWYCH, OZÓW, KEMÓW, SANDRÓW, POLODOWCOWYCH JEZIOR RYNNOWYCH CZY GŁAZÓW NARZUTOWYCH. UZUPEŁNIENIEM JEST TAKŻE NIEPOWTARZALNA KULTURA, WIOSKI O CHARAKTERYSTYCZNEJ ZABUDOWIE, CZĘSTO UKRYTE W LASACH, SKANSENY, NIEWIELKIE MIASTECZKA, NIEKIEDY PRZEKSZTAŁCONE W LETNIE CENTRA ŻEGLARSKIE, A TAKŻE DUŻA LICZBA KRZYŻACKICH ZAMKÓW WSKAZUJĄCYCH NA HISTORYCZNĄ GRANICĘ DAWNYCH ZIEM PRUSKICH. MAZURY TO RÓWNIEŻ TUTEJSZA LUDNOŚĆ I RĘKODZIEŁO. KULTYWOWANIE DAWNYCH TRADYCJI RYBACKICH BYWA WIDOCZNE W KAŻDYM ELEMENCIE CODZIENNEGO ŻYCIA. DLA CENIĄCEGO PRZYGODY TURYSTY JEST TO IDEALNE MIEJSCE DO CIĄGŁEGO ODKRYWANIA KRAJOBRAZÓW, ZABYTKÓW KULTURY, WYROBÓW RZEMIEŚLNICZYCH I TRADYCJI. MAZURY PRZYCIĄGAJĄ RÓWNIEŻ MIŁOŚNIKÓW AKTYWNEGO WYPOCZYNKU : ŻEGLARSTWA, KAJAKARSTWA I WYCIECZEK ROWEROWYCH LUB PIESZYCH.

CERKIEW PRAWOSŁAWNA I ZESPÓŁ KLASZTORNY STAROWIERCÓW W WOJNOWIE

Mazurska wieś Wojnowo nie wyróżniałaby się zapewne niczym szczególnym, gdyby nie jej historia. Powstała w 1831 roku jako osada staroobrzędowców z inicjatywy Sidora Borysowa, który kupił spory obszar pruskiego lasu i zaplanował założenie wsi. Dziś po starowiercach pozostały w Wojnowie dwa zabytki. Pierwszym z nich jest cerkiew prawosławna, która jednak nie była główną świątynią osiedlających się tu przybyszów, lecz stanowiła próbę zjednoczenia staroobrzędowców i prawosławnych pod egidą Rosyjskiego Kościoła Prawosławnego. Misja się nie powiodła, ale zabytek przetrwał i służy mieszkańcom. XIX-wieczna świątynia z charakterystyczną kopułą przykrywającą prezbiterium, powstała z drewna na planie prostokąta. W sąsiedztwie znajduje się także dzwonnica z namiotowym dachem. Wnętrze cerkwi jest skromnie wyposażone, dominuje biało-złoty ikonostas przedstawiający Świętą Trójcę, Matkę Boską, Chrystusa i proroków. Ikony pochodzą z różnych okresów i prezentują różnorodną wartość artystyczną.

Drugim zabytkiem Wojnowa związanym ze staroobrzędowcami jest monaster Zbawiciela i Trójcy Świętej. Klasztor został założony zaledwie 17 lat po pojawieniu się ruskich prawosławnych na tych terenach i funkcjonował bez przeszkód do 1884 roku. Zaczął podupadać, gdy miejscowi staroobrzędowcy zaczęli przechodzić na jednowierstwo, czyli zachowanie starych obrzędów przy uznaniu hierarchii kościoła prawosławnego.

POŁOŻENIE:
województwo warmińsko-mazurskie, powiat piski, gmina Ruciane-Nida.

EŁK

Miasto Ełk to stolica mazurskiej krainy o wyjątkowej historii. Położone malowniczo na Pojezierzu Ełckim ma zupełnie wyjątkową nazwę, na temat której istnieje wiele teorii. Według jednej z nich Ełk to miasto lilii wodnej. Przypuszcza się, że nazwa została zaczerpnięta z jaćwieskiego słowa „lek" oznaczającego właśnie białą lilię wodną. Jego spolszczona forma „łek" najpierw dała nazwę pobliskiej rzece, a następnie rozwijającej się tam osadzie.

W tamtych czasach ziemie ełckie były zamieszkiwane przez pszczelarzy, myśliwych i rybaków. Jednakże atrakcyjne położenie Ełku na szlakach handlowych z Królewca na południe oraz z Warszawy do Wilna przyczyniło się do jego stopniowego rozwoju.

Miasto rozciąga się wzdłuż brzegu Jeziora Ełckiego, natomiast przez ścisłe centrum przepływa rzeka Ełk, będąca dopływem Biebrzy. W pobliżu znajdują się jeszcze trzy jeziora: Sunowo, Selmęt Mały oraz Szyba, a w bliskiej odległości kolejne: Selmęt Wielki, Sawinda Wielka, Łaśmiady i Woszczele.

Wyjątkowość Ełku sprawia, że można tu odpocząć od wielkomiejskiego zgiełku, korzystając przy tym z wielu oferowanych atrakcji. Bliskość jezior i rzek zachęca do aktywnego wypoczynku – można tu pływać kajakiem, rowerem wodnym oraz żeglować. Wędkarze oddają się pasji łowienia ryb, a miłośnicy dzikiej przyrody odkrywają uroki Boru Ełckiego, który można nazwać „spiżarnią Ełku".

POŁOŻENIE:
województwo warmińsko-mazurskie, powiat ełcki, nad jeziorami Ełckim, Szyba i Selmęt Mały oraz rzeką Ełk.

EŁK. ZABYTKI

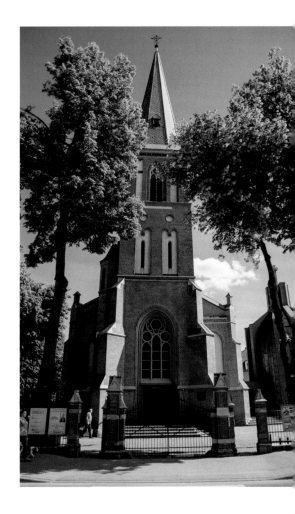

We wczesnym średniowieczu tereny wokół miasta zamieszkiwały pruskie plemiona Jaćwingów. Ich ziemie zostały podbite pod koniec XIII w. przez zakon krzyżacki. Prawdopodobnie w latach 1398–1406 na wyspie na Jeziorze Ełckim wzniesiono murowany zamek, którego pozostałości można oglądać do dzisiaj. Prowadzi do niego zabytkowy most wybudowany w 1910 r. Wzdłuż wschodniego brzegu jeziora zbudowano osadę, a sekularyzacja zakonu krzyżackiego wzmogła zapoczątkowane wcześniej procesy kolonizacyjne. Przywilej lokacyjny nadany wsi Ełk przez wielkiego mistrza zakonu krzyżackiego Paula von Russdorfa pochodzi z 1425 r. W okolice Ełku przybywali osadnicy z Mazowsza, tworząc z czasem pograniczną społeczność Mazurów, czyli polskojęzycznych mieszkańców Prus wyznania ewangelickiego. W 1669 r. książę pruski Fryderyk Wilhelm nadał miastu nowy przywilej. W 1868 r. do Ełku została doprowadzona linia kolejowa, a na przełomie XIX i XX w. wybudowano wodociągi, kanalizację, elektrownię oraz wiele reprezentacyjnych kamienic. Pierwsza

wojna światowa przyniosła miastu duże zniszczenia, ale również odbudowę, zdradzającą jego wielkomiejskie ambicje. Po II wojnie światowej Ełk znalazł się w granicach Polski. Do zabytków, które warto zobaczyć w Ełku, należą: wieża ciśnień z 1895 r., Park Solidarności (dawny Park Królowej Luizy), kościół pw. Najświętszego Serca Jezusowego (wzniesiony w 1850 r., odbudowany w 1925 r.), katedra pw. św. Wojciecha Biskupa i Męczennika z 1895 r., kościół baptystów z 1905 r. oraz cerkiew prawosławną pw. św. Apostołów Piotra i Pawła. Warto również odwiedzić Muzeum Historyczne w Ełku oraz wybrać się w malowniczą podróż zabytkową kolejką wąskotorową.

POŁOŻENIE:
województwo warmińsko-mazurskie, powiat ełcki, nad jeziorami Ełckim, Szyba i Selmęt Mały oraz rzeką Ełk.

EŁK. ATRAKCJE TURYSTYCZNE

Stolica Mazur zachwyca wyjątkowo pięknymi krajobrazami oraz bliskością jezior i lasów. Oprócz walorów przyrodniczych Ełk oferuje liczne atrakcje turystyczne. Prawdziwą wizytówką jest promenada biegnąca wzdłuż Jeziora Ełckiego, usytuowanego w samym sercu miasta. Zlokalizowane są tam puby i restauracje, w których można skosztować mazurskich potraw. Ponad sześciokilometrowa ścieżka pieszo-rowerowa jest doskonałym miejscem na spacer, jazdę na rolkach lub rodzinną wycieczkę rowerową.

Zachwycające jest także centrum miasta, gdzie mieszczą się zielone parki, skwery oraz place zabaw. Tuż nad jeziorem znajduje się trzypoziomowy skwer z rusałką i zegarem słonecznym, a przy rzece park Kopernika oraz park sportowy. Po drugiej stronie ulicy jest natomiast plac Jana Pawła II, obok którego nieśpiesznie przepływa rzeka Ełk. W okolicy gniazdują kaczki i łabędzie, chętnie dokarmiane przez przechodniów. Niezapomniany klimat panuje w Parku Solidarności nieopodal ratusza. Zabytkowa fontanna oraz rosnące tam pomniki przyrody pozwalają na chwilę zadumy.

Doskonałym miejscem do aktywnego wypoczynku jest park linowy tuż nad brzegiem Jeziora Ełckiego. Gratkę dla najbardziej aktywnych stanowią również: park wodny, skatepark, parkour park, pumptrack – ziemny tor rowerowy, tor rolkowy, siłownie zewnętrzne oraz ścianka do wspinaczki. Co roku Ełk zapewnia także atrakcyjną ofertę wydarzeń. Wśród nich warto wymienić jeden z największych w Polsce Festiwali Sztuk Pirotechnicznych „Ełk, Ogień & Woda", Mazurskie Zawody Balonowe oraz Mazurskie Lato Kabaretowe MULATKA.

POŁOŻENIE:
województwo warmińsko-mazurskie, powiat ełcki, nad jeziorami Ełckim, Szyba i Selmęt Mały oraz rzeką Ełk.

EŁK. KOLEJ WĄSKOTOROWA

D o najciekawszych ełckich zabytków należy ponad 100-letnia Ełcka Kolej Wąskotorowa – jedyna czynna tego typu atrakcja turystyczna na Mazurach. Kolejka została wybudowana w latach 1912–1918 z inicjatywy ówczesnego starosty Carla Suermondta. Po niemal 80 latach, w 1991 r. została uznana za cenny zabytek kultury technicznej i wpisana do rejestru zabytków. W 2002 r., po decyzji PKP o likwidacji kolejek w Polsce, jej nowym właścicielem został samorząd miasta Ełku.

Wciąż malejąca rentowność przewozów pasażerskich i towarowych spowodowała zmianę charakteru działalności Ełckiej Kolei Wąskotorowej z przewozowej na turystyczną. Od marca 2014 r. zabytkowa kolejka jest częścią Muzeum Historycznego w Ełku. Małą zabytkową ciuchcią w odkrytych kolorowych wagonikach turyści mogą udać się w niespieszną podróż po malowniczej okolicy, aż do stacji w miejscowości Sypitki.

Będąc na dworcu ełckiej stacji wąskotorowej, warto zwiedzić też Muzeum Kolejnictwa. Wśród eksponatów znajdują się tam m.in. parowozy, wagony, tendry, lokomotywy, pierwsze pługi śnieżne oraz drezyny. Najstarszy z nich – pług odśnieżny – pochodzi z 1908 r. W Ełku można obejrzeć także niemiecki parowóz wojenny Ty2 z 1943 r. (w Polsce dostępne są tylko dwa egzemplarze). Na stacji stoją też maszyny z wczesnych lat 50. XX wieku. Warto zajść również do pracowni rzeźby, w której ełccy mistrzowie dłuta chętnie opowiadają o swojej pasji oraz prezentują niektóre ze swoich prac w drewnie. Ełcka Kolej Wąskotorowa znajduje się przy ulicy Wąski Tor 1.

POŁOŻENIE:
województwo warmińsko-mazurskie, powiat ełcki, nad jeziorami Ełckim, Szyba i Selmęt Mały oraz rzeką Ełk.

FERMA JELENIOWATYCH W KOSEWIE

Poznawanie przyrody jest fascynujące, ale trzeba być cierpliwym i mieć czas, aby spacerować po leśnych ostępach w poszukiwaniu zwierząt czy też tkwiąc bez ruchu w kryjówce, obserwować ptaki. Niestety, nawet popularne w naszych lasach sarny czy zające nie będą stać nieruchomo na polanie leśnej i pozwalać się obserwować. Można je jednak poznać z bliska, a nawet podejść, dotknąć, przyjrzeć się uważnie każdemu osobnikowi dzięki specjalnej Fermie Jeleniowatych w Kosewie. Gospodarstwo powstało przy Stacji Badawczej Instytutu Parazytologii PAN w 1984 roku, a jego podstawowym zadaniem było prowadzenie obserwacji i badań gatunków jeleniowatych. W sezonie letnim ferma jest udostępniana dla zwiedzających, którzy spacerując po rozległych łąkach nad jeziorem Kuc, mogą obcować z oswojonymi zwierzętami. Często jest to jedyna możliwość tak bliskiego kontaktu, bo w ogrodach zoologicznych nie wolno zbliżać się do zwierząt. Tu można je obserwować bez krat, w warunkach zbliżonych do naturalnych. Mieszkańcami fermy są m.in. danie-

le, muflony, jelenie sika i kozy. Zwierzęta żyją na obszarze obejmującym powierzchnię około 100 ha. Zwiedzanie wymaga kondycji oraz odpowiedniego zachowania, bowiem zwierzęta bywają płochliwe. Do dyspozycji jest zwykle przewodnik, który oprowadza po ośrodku i opowiada o zwierzętach. Przy gospodarstwie działa również ciekawe muzeum przyrodnicze. W jego zbiorach znajduje się duża liczba poroży oraz wiele fotografii.

POŁOŻENIE:
województwo warmińsko-mazurskie, powiat mrągowski, Kosewo Górne, przy trasie nr 16 między Mikołajkami i Mrągowem.

JEZIORO DOBSKIE

Jezioro Dobskie, wchodzące wraz z jeziorem Mamry w skład kompleksu wodnego, znane jest z niezwykłego rezerwatu przyrody obejmującego wiele wysp. Najbardziej znana spośród nich, Wyspa Kormoranów, o powierzchni 2 ha, określana też jako Wysoki Ostrów, to doskonałe miejsce do obserwacji ptaków. Gnieżdżące się tu kormorany niszczą roślinność, dlatego w lesie znajduje się wiele na wpół uschniętych konarów kontrastujących z zielonymi koronami. Żyjące na wyspie kormorany i czaple podlegają ochronie, a cały obszar objęty jest strefą ciszy. Choć w okolicy nie wolno używać silników motorowych, można się wybrać na wycieczkę łodzią wiosłową i obserwować ptaki z odległości.

Nieco odmienna jest wyspa Gilma, która ma duże znaczenie kulturowe z uwagi na odkryte siedlisko Galindów – pruskich przodków Mazurów. W czasach dominacji zakonu krzyżackiego stał tu mały zamek. Maksymalna głębokość Jeziora Dobskiego, jednego z ogniw długiego szlaku żeglugowego w Krainie Wielkich Jezior Mazurskich w sąsiedztwie Giżycka, wynosi 22,5 m. Cechy charakterystyczne zbiornika to muliste dno ze skupiskami głazów, żwiru i kamieni, porośnięte na 25% powierzchni. Na brzegach nie brakuje wysokich usypisk i pagórków. Bezpośrednio nad jeziorem leży kilka miejscowości o walorach turystycznych: Fulęda, Radzieje, Dziewiszewo, Pilwa.

POŁOŻENIE:
województwo warmińsko-mazurskie, powiat giżycki.

JEZIORO HAŃCZA

Jezioro Hańcza otoczone bujną zielenią tworzy wspaniały mazurski krajobraz. Jest również jednym z najciekawszych pod względem geologicznym zbiornikiem wodnym w Polsce. Usytuowane jest na terenie Suwalskiego Parku Krajobrazowego, na Pojezierzu Wschodniosuwalskim. Jest jeziorem rynnowym o wymiarach ok. 5 x 1 km i powierzchni 305 ha. Głębokość Hańczy sięga 108,5 m, co czyni ją najgłębszym zbiornikiem w Polsce, a także na całej Nizinie Środkowoeuropejskiej. Zarówno rzeźba dna, jak i linii brzegowej jest zróżnicowana i obfituje w głębokie rowy i niecki. Krystalicznie czysta woda umożliwia obserwowanie tych struktur nawet w znacznej odległości od brzegów, które również

nie zaliczają się do regularnych. Na jeziorze znajduje się wiele wysepek, zatoczek i niewielkich półwyspów, dzięki czemu stale można odkrywać nowe krajobrazy. Dostęp do lustra wody utrudniają wysokie i strome jak na jezioro, usiane wielkimi głazami brzegi. Są one pozostałością moreny czołowej, którą przed wiekami transportował lodowiec. Głębokość wód Hańczy oraz ich wyjątkowa czystość przyciągają amatorów nurkowania. Atrakcyjność zbiornika podnosi roślinność porastająca brzegi, głównie bór świerkowy, niekiedy także lasy liściaste z przewagą lipy, oraz łąki i pola uprawne. Przez jezioro przepływa rzeka Czarna Hańcza.

POŁOŻENIE:
województwo podlaskie, na Pojezierzu Wschodniosuwalskim, obszar rezerwatu „Jezioro Hańcza".

JEZIORO MAMRY

Mamry to zapewne jeden z najbardziej znanych i najchętniej odwiedzanych akwenów mazurskich, na co wpływa duża powierzchnia sprzyjająca sportom wodnym, a zwłaszcza żeglarstwu, oraz walory przyrodnicze i stosunkowo łatwy dostęp do niskich, podmokłych brzegów. Jest to jezioro morenowe, o zróżnicowanym ukształtowaniu pochylającego się w kierunku północnym dna. Akwen tworzy zwarty system z kilkoma innymi jeziorami, które ze względu na ukształtowanie

często bywają określane wspólną nazwą. W rzeczywistości są to oddzielne zbiorniki: Kirsajty, Kisajno, Dargin, Święcajty, Dobskie oraz właściwe Mamry Północne. Każdy z nich urozmaicają wyspy. Spośród siedmiu usytuowanych na właściwej części jeziora największa i najpopularniejsza to Upałty, uważana też za największą na Mazurach. Drugą równie znaną jest tzw. Wyspa Piramidalna, znana również jako Mała Kępa, zawdzięczająca nazwę istniejącej tu dawniej 13-metrowej piramidzie wybudowanej w hołdzie hrabiemu Henckelowi von Donnersmarckowi. Niestety, niesprzyjające warunki pogodowe, silne wiatry i fale zniszczyły budowlę. Mamry w najgłębszym miejscu osiągają 43,8 m, ale przeciętna głębokość oscyluje pomiędzy 10 i 11 m. W ostatnich 200 latach poziom wody podnosił się głównie z powodu działalności człowieka. Jezioro jest bardzo atrakcyjne pod względem turystycznym, stanowi element szlaku żeglugowego, jest również częściowo objęte ochroną w ramach rezerwatu ptaków.

POŁOŻENIE:
województwo warmińsko-mazurskie.

JEZIORO ŚNIARDWY

Ś niardwy to jedno z wielkich jezior mazurskich, znane ze względu na kilka niepowtarzalnych cech. Przede wszystkim jest bardzo rozległe, jego powierzchnia to 113,4 km^2, a wymiary wynoszą: około 22,1 × 13,4 km, co plasuje akwen na pierwszym miejscu w kraju pod wzlędem wielkości.

Szczególny krajobraz jeziora można podziwać z wieży widokowej we wsi Łuknajny. Poza niepodważalnymi walorami krajobrazowymi Śniardwy są też cenione przez żeglarzy. Ogromna powierzchnia sprzyja długim rejsom, a czynnikiem, który szczególnie zachęca do żeglowania jest pojawiający się silny, często niebezpieczny wiatr. Najsilniejsze porywy zanotowano w 2007 roku, a ich prędkość osiągnęła 130 km/godz., czyli 12° w skali Beauforta.

Niestety, poza walorami zbiornik posiada też wady. Z uwagi na płytką wodę, w najgłębszym miejscu nie przekraczającą 23,4 m, i rozsiane po dnie głazy istnie- je ryzyko kolizji oraz uszkodzenia sprzętu pływające- go, dlatego wybierający się na żeglarską przygodę ze Śniardwami powinni być zaopatrzeni w dobrą mapę i unikać niebezpiecz- nych miejsc. Trudność stanowią też nadbrzeżne strefy sitowia, dochodzące nawet do 200 m szerokości.

To ogromne polodowcowe jezioro nie jest oderwane od systemu wodnego Mazur. Wraz z sąsiednimi zbiornikami Warnołty, Seksty i Kacze- rajno tworzy system wodny. Jest także jednym z punktów na trasie żeglu- gi mazurskiej dzięki połączeniu systemem kanałów z sąsiednimi jeziora- mi. Śniardwy mają osiem wysp, a największe to: Szeroki Ostrów, Czarci Ostrów oraz Wyspa Pajęcza.

POŁOŻENIE:
województwo warmińsko-mazurskie, powiat piski i mrągowski, w dorzeczu Pisy.

JEZIORO TAŁTY

Mazury to rejon setek malowniczych i niepowtarzalnych zbiorników wodnych. W przypadku jeziora Tałty na uwagę zasługuje jego kształt przypominający nieregularną rzekę – co jest doskonale widoczne zwłaszcza z brzegu w okolicy Mikołajek, gdzie zbiornik ma zaledwie 300 m szerokości. Łatwo to sobie wyobrazić, analizując wymiary zbiornika: jego długość całkowita wynosi 12,5 km, a maksymalna szerokość 1,8 km. Tałty i połączone z nim Jezioro Ryńskie tworzy akwen o długości 20 km. Taka forma nie jest przypadkowa, ale wynika z uwarunkowania geologicznego, wynikającego z usytuowania obu zbiorników na dnie rynny polodowcowej, ciągnącej się na długości 35 km pomiędzy Rynem a Rucianym-Nidą. Tałty średnio osiąga 14 m głębokości, ale występują też głębiny przekraczające 50 m, dlatego zalicza się je do zbiorników głębokich. Nieregularnie uformowane dno w znacznej części porastają podwodne łąki.

Ukształtowanie brzegów, w większości stromych i wysokich, nie sprzyja rekreacji. Najlepszy dostęp jest w Mikołajkach oraz rejonie kilku przybrzeżnych wiosek, jak np. Tałty, Stare Sady, Skorupki i Jora Wielka. W tych okolicach znajduje się najwięcej kempingów, pensjonatów i przystani wodnych. Most w Mikołajkach symbolicznie kończy jezioro od strony południowej, za drugą granicę zbiornika uznaje się przewężenie pomiędzy dwoma półwyspami: Mrówki i Pazdór. Jedną z odnóg jeziora stanowi sztuczny Kanał Tałcki, zapewniający połączenie z sąsiednimi zbiornikami na Szlaku Wielkich Jezior.

POŁOŻENIE:
województwo warmińsko-mazurskie, powiat piski, w dorzeczu Pisy, między Rynem i Ruciane-Nidą.

KANAŁ AUGUSTOWSKI

Obserwowany z lotu ptaka Kanał Augustowski wije się wśród rozlewisk Pojezierza Mazurskiego, przypominając gigantycznego wodnego węża. Konstrukcja jest wyjątkowa nie tylko w skali kraju, ale również Europy. Jest to jeden z najciekawszych przykładów sztuki inżynierskiej XIX wieku. Powstanie kanału zainicjował car Aleksander, ale do budowy znacznie przyczynili się polscy inżynierowie, o czym przypomina tablica przy jednej ze śluz. Dzisiejszy dobry stan Kanał Augustowski zawdzięcza prezydentowi Aleksandrowi Kwaśniewskiemu, który w 2004 roku podjął decyzję o przywróceniu mu dawnej świetności. Obecnie ta fascynująca droga wodna jest jedną z największych atrakcji turystycznych Mazur. Fragmentami ujęta w murowane burty, gdzie indziej przebiegająca w środowisku naturalnym stanowi przegląd mazurskich krajobrazów.

Kanał został wyposażony w 18 murowanych śluz, z czego 14 znajduje się w granicach Polski, a 14 na Białorusi, oraz 23 upusty. Dziewięć śluz zachowało do dziś swój pierwotny kształt. Podróżując całą trasą o długości 101 km, pokonuje się różnice poziomów wynoszącą 54,04. Kanał wiedzie przez niezwykle atrakcyjne tereny, a dziewicze ostępy Puszczy Augustowskiej urozmaicają liczne zabytki archeologiczne. Można tu zobaczyć obozowiska kultury świderskiej w Mikaszówce, osady z epoki kamiennej w Białobrzegach i w Polkowie, hutę żelaza w Gorczycy, a także szereg umocnień wojennych i schronów z II wojny światowej.

POŁOŻENIE:
województwo podlaskie, od połączenia z Biebrzą do śluzy Niemnowo na Białorusi.

KANAŁ ELBLĄSKI

K anał Elbląski powstał aby, usprawnić transport drewna i surowców w tym rejonie kraju. Nowa droga wodna przyczyniała się także do rozwoju miast. Śmiało można powiedzieć, że kanał jest sercem tutejszej cywilizacji: stwarza możliwość wycieczki łodzią wśród mazurskich krajobrazów, jest również przykładem niezwykłego wykorzystania myśli technicznej. Dziś funkcje transportowe nie mają wielkiego znaczenia, jednak kanał nadal służy tysiącom pasażerów.

Powstał około 150 lat temu, a największą jego zaletą jest doskonałe współgranie z naturą. Każdy element trasy o łącznej długości 151,7 km został pomyślany i zaprojektowany tak, aby nie tylko nie szkodził środowisku, lecz wykorzystywał jego naturalną siłę. W maszynach i urządzeniach nie używa się żadnych paliw, a jedynym środkiem napędowym jest woda. Niezwykłe jest to, że kanał pnie się pod górę, zaprzeczając wszelkim zasadom funkcjonowania dróg wodnych. Różnicę poziomów, wynoszącą około 100 m, można pokonać za pomocą specjalnego systemu czterech śluz i pięciu pochylni, z których największa w Oleśnicy pozwala przebyć różnicę aż 24,5 m. Ekologiczna konstrukcja sprawia, że obszary wokół obfitują w liczne gatunki zwierząt. W swojej zasadniczej linii kanał łączy jezioro Druzno z rzeką Drwęcą oraz Jeziorakiem, pośrednio – przez rzekę – Elbląg z Zalewem Wiślanym, a także przez Kanał Jagielloński – Nogat i Wisłę z Morzem Bałtyckim.

POŁOŻENIE:
województwo warmińsko-mazurskie, między Elblągiem a Ostródą.

KANAŁ ŁUCZAŃSKI Z MOSTEM OBROTOWYM

Mazury znane są przede wszystkim z pięknych, malowniczych jezior i naturalnych krajobrazów, ale są też jedynym regionem w Polsce, w którym znajduje się tak wiele kanałów. Usytuowane blisko siebie jeziora i wiele cieków wodnych: małych kanałów i dużych rzek skłaniało do poszukiwania sposobu wykorzystania ich w celach transportowych. Kanał Łuczański (nazywany też Giżyckim) wybudowano, aby połączyć jeziora Niegocin i Kisajno.

Jak wszystkie pozostałe mazurskie kanały, tak i ten powstał jeszcze przed I wojną światową. Jest też jednym z najkrótszych – ma zaledwie 2,13 km długości, co w porównaniu z Kanałem Elbląskim czy Mazurskim jest zaledwie niewielkim ułamkiem. Ta niebanalna droga wodna to nie tylko sposób na pokonanie trasy pomiędzy jeziorami, ale również miejsce, w którym odbywa się wiele atrakcyjnych imprez. Na ciągnących się wzdłuż kanału promenadach często organizowane są obchody świąt, a także inauguracja sezonu turystycznego. Ponieważ kanał przecina miasto, konieczne było

wybudowanie przepraw. Na szczególną uwagę zasługuje zabytkowy most obrotowy, pochodzący jeszcze z 1898 roku. Konstrukcja ma ponad 20 m długości, 8 m szerokości i waży 100 t. Otwieranie obracającego się w bok przęsła trwa pięć minut. W sezonie zimowym most jest cały czas dostępny dla ruchu pieszego i samochodowego. Latem otwiera się go co pół godziny na około 30 minut.

POŁOŻENIE:
województwo warmińsko-mazurskie, powiat giżycki, pomiędzy jeziorami Niegocin i Kisajno, częściowo w obszarze miasta Giżycka.

KANAŁ MAZURSKI

N iezwykły pomysł inżynierski, jakim są kanały łączące mazurskie jeziora z Morzem Bałtyckim oprócz korzyści: usprawnienia komunikacji oraz gospodarczego ożywienia regionu, wiązał się z problemami. Najwięcej kłopotu nastręczało ukształtowanie powierzchni. W wyniku działania lodowca na tym terenie powstał szereg wzniesień morenowych, które trzeba było pokonać.

Chociaż Kanał Mazurski nigdy nie został ukończony, talent ówczesnych konstruktorów widać doskonale. Pierwsze projekty pochodzą jeszcze z lat 1862–1864, później wprowadzono wiele praktycznych modyfikacji. Kanał miał spełnić dwa zadania: połączyć jeziora mazurskie z Bałtykiem, oraz zapewnić zasilanie siłowniom wodnym i meliorację okolicznych łąk. Zmodyfikowany projekt zakładał budowę trasy o długości 51 km, wyposażonej w 10 stopni wodnych, z których największy mierzył 17 m. Śluzy miały wymiary 45 x 7,5 m i głębokość około 2 m, ostatecznie ukończona została tylko jedna we wsi Guja. Średnia szerokość kanału wynosi około 20 m.

Na trasie zaplanowano także trzy mosty kolejowe, osiem drogowych oraz trzy jazy (dwa jazy walcowo-ruchowe można zobaczyć w miejscowościach Guja i Leśniewo). Niestety, pomimo ogromnego nakładu pracy i środków, budowę kanału ostatecznie zarzucono w 1942 roku, część urządzeń została zniszczona, a wiele elementów rozkradziono. Podczas zwiedzania trzeba zachować dużą ostrożność.

POŁOŻENIE:
województwo warmińsko-mazurskie, obwód kaliningradzki, między Jeziorem Mamry i rzeką Łyną.

KĘTRZYN

Tereny dzisiejszego Kętrzyna nie od razu należały do zakonu krzyżackiego. Początkowo zamieszkiwało je pogańskie plemię Bartów. Krzyżackie najazdy, nękania i przesiedlania ludności wymusiły na mieszkańcach przyjęcie chrztu. W 1329 roku wybudowano krzyżacką strażnicę, a w kolejnych latach kościół św. Katarzyny, który jednak nie zachował się do dziś. Strażnica została częściowo zburzona podczas litewskiego oblężenia. Z czasem jednak ją odbudowano, a w jej sąsiedztwie powstała osada, która otrzymała prawa miejskie w 1357 roku. Wydarzenie to stanowi początek historii dzisiejszego Kętrzyna. Miasto podlegało zakonowi aż do wojny trzydziestoletniej.

Pamiątką zamierzchłych czasów jest zachowany do dziś zamek krzyżacki oraz warowny kościół św. Jerzego, najważniejsze zabytki miasta. Trójskrzydłowy gotycki zamek, pochodzący z drugiej połowy XIV wieku, z dziedzińcem zamkniętym ścianą kurtynową i bramą, został zrekonstruowany po pożarze w 1945 roku. Mury zewnętrzne odtworzono starannie, ale wnętrza obiektu są już bardziej nowoczesne. Natomiast XIV-wieczna bazylika św. Jerzego, stojąca w miejscu pierwszej strażnicy, to najlepiej zachowany warowny kościół na Mazurach. Świątynia została wyposażona w ganki obronne, wieżę z blankami i wieżę dzwonniczą, jej wyposażenie pochodzi z XVI–XVII wieku.

POŁOŻENIE:
województwo warmińsko-mazurskie, powiat kętrzyński, gmina Kętrzyn.

KLASZTOR POKAMEDULSKI W WIGRACH

Wigierski klasztor kamedułów to jeden z wspanialszych zabytków Mazur. Kompleks powstał na wzgórzu nad jeziorem Wigry i pamięta jeszcze czasy wielkiego księcia Witolda, czyli przełom XIV i XV wieku. Początkowo był to myśliwski dworek na wyspie. Tradycje polowań były powszechne wśród ówczesnych władców, a na wyprawy w rozległej puszczy udawali się stąd kolejni królowie: Władysław IV, Władysław Jagiełło i Zygmunt August. To właśnie

Władysław IV rozbudował dworek. Kolejny polski władca – Jan Kazimierz – zrezygnował z łowieckich uciech i przekazał zespół zabudowań oraz dość duży obszar leśny z okolicznymi jeziorami kamedułom. Zakonnicy osiedlili się tu w 1668 roku i rozpoczęli budowę kaplicy i kościoła, następnie powstały budynki gospodarcze. Po zaledwie dwóch latach większość drewnianych zabudowań spłonęła, co przyczyniło się do wzniesienia murowanych budowli. Powstała także specjalna grobla, która połączyła wyspę z lądem. Przed rozpoczęciem budowy wyspę nieco zmieniono,

uformowano na niej dwa tarasy na wysokości 11 i 16 m. Na wyższym powstał centralny kościół z dwiema wieżami. Pierwotnie znajdowało się w nim aż dziewięć bogatych ołtarzy. W kompleksie umieszczono także 12 domów pustelniczych, pomieszczenia modlitewne, dom furtiana i wieżę zegarową. Rok po trzecim rozbiorze Polski, w 1796 roku, władze pruskie skonfiskowały ogromne dobra kamedułów, a klasztor uległ kasacie. Obecnie kompleks jest gruntownie restaurowany.

POŁOŻENIE:
województwo podlaskie, powiat suwalski, gmina Suwałki, nad jeziorem Wigry, wieś Wigry.

Klasztor kamedułów w Wigrach

KRUTYNIA

S zlak wodny Krutyni, nazywany także Krutyńską Strugą, uznawany jest za jeden z najpiękniejszych i najciekawszych szlaków kajakowych w Polsce, a nawet Europie. Cechą charakterystyczną Krutyni jest ogromna różnorodność i zmienność mijanych krajobrazów. Głębokość rzeki waha się od 1,5 do nawet 7 m w najgłębszych miejscach, natomiast jej szerokość mieści się w przedziale 30–40 m, a całkowita długość to około 99 km. Spokojny nurt, liczne zakola, brzegi porośnięte dającymi cień drzewami – tereny rezerwatu przyrody stanowią idealne miejsce letnich wypraw. Pokonując szlak, napotyka się wiele malowniczych jezior oraz zmiennych odcinków rzeki, która wije się wśród podmokłych lasów i łąk. Część szlaku wiedzie przez teren Mazurskiego Parku Krajobrazowego oraz kilku rezerwatów, co stwarza niepowtarzalną możliwość obserwacji bogatej fauny i flory, żyje tu wiele chronionych gatunków. Miłośników kajakarstwa przyciągają nie tylko walory krajoznawczo-przyrodnicze, ale także rozbudowana infrastruktura turystyczna. Szlak kajakowy liczy około 100 km, rozpoczyna się na Jeziorze Lampackim prowadzi przez kilkanaście zbiorników wodnych i rzek w rejonie Puszczy Piskiej, kończy się w miejscowości Ruciane-Nida. Jednym z ciekawszych punktów na trasie jest miejscowość Krutyń, gdzie zachowała się malownicza mazurska drewniana zabudowa parterowa, z gankami i okiennicami, oraz szeregiem atrakcji dla turystów.

POŁOŻENIE:
województwo warmińsko-mazurskie, gminy: Mikołajki i Ruciane-Nida, Pojezierze Mazurskie.

KWIDZYN

Kwidzyn to piękne miasto położone nad Liwą, zawdzięczające swoje istnienie zakonowi krzyżackiemu. Już w XI wieku istniało tu grodzisko pomezańskie, które jednak zrujnowały lokalne walki. Koleją osadę założyli Krzyżacy w 1233 roku. Dziś w 40-tysięcznym Kwidzyniu można zobaczyć gotycki zamek, który często błędnie określany jest mianem krzyżackiego. Do budowy zamku kapituły pomezańskiej przystąpiono na przełomie XIII i XIV wieku. Budowlę wzniesiono z kamieni i cegieł

na planie zbliżonym do kwadratu. Powstały wieże w narożach, dwukondygnacyjny krużganek na dziedzińcu i wjazd od strony północnej. Większość prac budowlanych zakończono w latach 1340–1350. Pierwotnie zamek stanowił samodzielne założenie, dopiero później został połączony z katedrą, a jego narożną wieżę przekształcono w dzwonnicę. Ukończenie nowego kościoła katedralnego datuje się na okres rządów biskupa Jana Möncha (1377–1409). W tym czasie powstał w Kwidzynie unikatowy zespół architektoniczny, w którego skład weszły dwa zamki (biskupi i kapituły), katedra oraz miasto. Poszczególne człony miały własne umocnienia, a połączone murami tworzyły system obronny, idealnie wkomponowany w naturalne elementy terenu. Zamek był siedzibą kapituły pomezańskiej, a także centrum religijnym i polityczno-administracyjnym. W 1728 roku skrzydło południowe budynku zostało przekształcone w magazyn garnizonu wojskowego. Po pierwszym rozbiorze Polski zamek był siedzibą sądu, obecnie działa tu muzeum.

POŁOŻENIE:
województwo pomorskie, powiat kwidzyński, nad rzeką Liwą.

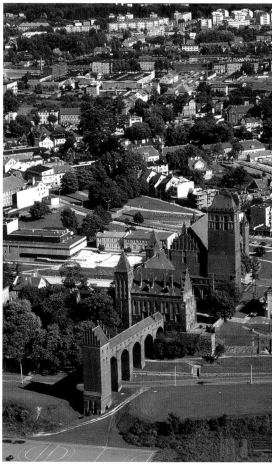

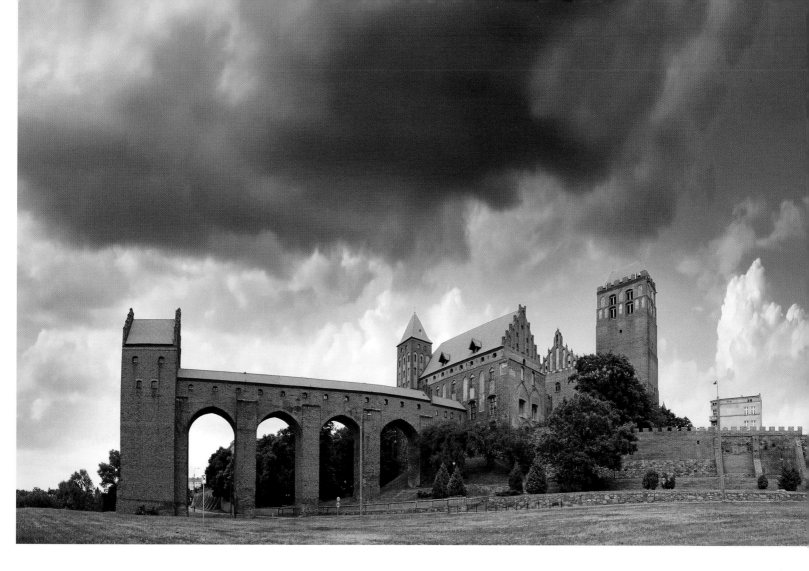

MAZURSKI PARK KRAJOBRAZOWY

Przemierzając zakątki Mazurskiego Parku Krajobrazowego, można podziwiać zarówno rozległe tafle jezior, malownicze, zasnute poranną mgłą wysepki, bogate w runo leśne lasy, jak i pola pokryte łanami dorodnego zboża. Park został utworzony w 1977 roku, aby zachować wartości malowniczego krajobrazu, bogatą florę i faunę, a także wartości kulturowo-historyczne. Obejmuje powierzchnię 53,65 ha – jest to jeden z największych parków w Polsce. W jego granicach znajduje się jezioro Śniardwy oraz północna część Puszczy Piskiej z rzeką Krutynią. Szczególnie cenne obszary parku chronione są w formie 11 rezerwatów przyrody, z których każdy ma inny charakter. Na uwagę zasługuje największy z nich – rezerwat biosfery „Jezioro Łuknajno", utworzony dla ochrony łabędzi niemych. Warto też wspomnieć o innych rezerwatach ornitologicznych: „Czapliniec" i „Czaplisko-Ławny Lasek", powstałych dla ochrony czapli siwej. Niezwykle cenne są rezerwaty chroniące rzekę Krutynię w górnym i dolnym biegu – „Krutynia" (273,12 ha) i „Krutynia Dolna" (969,33 ha).

Na uwagę zasługują niektóre wsie na terenie parku, które wyróżnia oryginalna architektura i malownicze położenie, należą do nich np.: Krutyń, Lipowo, Wojnowo, Bobrówko czy Zgon. Park stanowi idealne miejsce do organizowania wycieczek rowerowych i kajakowych, podczas których można zwiedzać takie osobliwości, jak grądy, torfowiska, śródleśne łąki czy dystroficzne jeziorka.

POŁOŻENIE:

województwo warmińsko-mazurskie, powiaty: mrągowski, piski i szczycieński, gminy Piecki, Mrągowo, Świętajno, Ruciane-Nida, Mikołajki, Orzysz i Pisz.

MRĄGOWO

Miasteczko, położone wśród zieleni lasów i wód mazurskich jezior, przyciąga swoim urokiem wielu turystów. Piękne kamieniczki, parki z ciekawą historią, aleje i kwieciste łąki okalające Mrągowo stanowią niezapomnianą atrakcję turystyczną. Na zwolenników aktywnych form wypoczynku czekają spływy kajakowe, wycieczki piesze, rowerowe i autokarowe, jazda konna oraz czyste plaże okolicznych jezior. Doskonałym punktem widokowym jest Góra Czterech Wiatrów nad Jeziorem Czos, skąd rozpościera się wspaniała panorama. Mrągowo jest również miastem festiwali i koncertów. Sezon imprez rozpoczyna się już na początku lipca, kiedy to z całej Polski przyjeżdżają kabarety na Mazurską Noc Kabaretową. Natomiast w ostatni weekend lipca odbywa się Międzynarodowy Festiwal Muzyki Country, a zaraz po nim, na początku sierpnia – Festiwal Kultury Kresowej.

Jedną z atrakcji miasta jest wieża Bismarcka, wznosząca się na niewysokim Wzgórzu Jeanike w centrum miejskiego parku im. Władysława Sikorskiego. Konstrukcja powstała w 1906 roku i ma 23 m wysokości. Składa się z dwóch części: szerokiej podstawy wyposażonej w szereg łukowych wnęk, w których umieszczono wejście i niewielkie okna, oraz wąskiej części górnej z dwoma poziomami okien. Zwieńczona została charakterystycznymi blankami, dodającymi budowli lekkości i wdzięku. Dziś służy jako obiekt turystyczny i platforma widokowa, z której można podziwiać okolicę.

POŁOŻENIE:
województwo warmińsko-mazurskie, powiat mrągowski.

MIKOŁAJKI

Mikołajki to jedna z najbardziej znanych mazurskich miejscowości, kojarząca się z latem i wakacjami. Lokalizacja sprawia, że znajdzie się tu wszystko, czego można oczekiwać od wakacyjnego kurortu. Miasteczko liczące zaledwie 4 tys. mieszkańców leży pomiędzy dwoma jeziorami Mikołajskim i Tałty, oraz w niewielkiej odległości od największego mazurskiego zbiornika – Śniardwy, blisko jest również do jeziora Łuknajno. Te cztery akweny w pełni zaspokajają potrzeby turystów spragnionych kąpieli i żeglarstwa.

Miasteczko leży na szlaku wodnym przebiegającym przez kilka innych ważnych mazurskich miejscowości, jak Węgorzewo czy Giżycko. Bogate jest okoliczne środowisko przyrodnicze, które częściowo zostało objęte ochroną w ramach Mazurskiego Parku Krajobrazowego. Spływy rzeczką Krutynią albo wycieczki rowerowe po Puszczy Piskiej mogą być nie lada atrakcją dla miłośników aktywnego wypoczynku na łonie natury. W pobliżu znajduje się także słynny ptasi rezerwat „Jeziora Łuknajno". Ze względu na liczbę atrakcji przyrodniczych i kulturowych, do których zalicza się m.in. XIX-wieczne domy, kościół i mosty, Mikołajki zyskały ogromną popularność, której sprzyja również doskonale rozbudowana baza turystyczna: luksusowe hotele, ośrodki wypoczynkowe, liczne lokale gastronomiczno-rozrywkowe i wypożyczalnie sprzętu wodnego.

POŁOŻENIE:
województwo warmińsko-mazurskie, powiat mrągowski, nad jeziorami Tałty i Mikołajskim.

PARK DZIKICH ZWIERZĄT W KADZIDŁOWIE

Poznawanie zwierząt żyjących w naturalnym środowisku nie jest łatwe. Zawodowy obserwator czy też przyrodnik-pasjonat mogą spędzić wiele godzin, obserwując teren i czekając na stosowny moment, ale dla większości ludzi zobaczenie w naturze sarny lub zająca bywa często niemożliwe. Park Dzikich Zwierząt, działający na terenie Puszczy Piskiej, w okolicy miejscowości Kadzidłowo, umożliwia obserwację zwierząt żyjących w naszych warunkach klimatycznych w ich naturalnym środowisku.

Jest to miejsce, w którym na ograniczonym terenie pod opieką wykwalifikowanych pracowników żyje wiele rodzimych gatunków zwierząt.

W przeciwieństwie do miejskich ogrodów zoologicznych park stwarza warunki bardzo zbliżone do naturalnych. Zwierzęta nie żyją tu w zamkniętych klatkach, lecz na rozległych leśnych obszarach. Umożliwia to przebywanie blisko zwierząt, a nawet dotykanie ich czy karmienie. Zawsze jednak trzeba pamiętać o zagrożeniu, dlatego park zwiedza się wyłącznie w towarzystwie przewodnika. Przy okazji można usłyszeć wiele ciekawych opowieści o zwierzętach, poznać ich zwyczaje i upodobania. Szczególną dumą parku są rysie – gatunek zagrożony wyginięciem. Patronem Parku jest znany przyrodnik Benedykt Dybowski, który przyczynił się do poznania przyrody Syberii. W parku prowadzona jest także działalność naukowa i edukacyjna.

POŁOŻENIE:
województwo warmińsko-mazurskie, powiat piski, gmina Ruciane-Nida.

PARK KRAJOBRAZOWY POJEZIERZA IŁAWSKIEGO

Usytuowany w środkowej części Pojezierza Iławskiego park krajobrazowy to obszar o niezwykłych walorach kulturowych, ze śladami z czasów paleolitu, pozostałościami osad obronnych i nawodnych, kurhanami oraz przedmiotami wskazującymi na umiejętności wytwórcze dawnych osadników. Odkryto tu również grody z czasów osadnictwa pruskiego, kiedy funkcjonowało wiele małych państewek plemiennych, jak np. Pomezania, Warmia i Galindia, z czasem zaanektowanych przez zakon krzyżacki. Powstały wtedy dwa ważne ośrodki miejskie – Iława i Zalewo. Od tego czasu wyraźnym zmianom uległa lokalna architektura, najpierw przekształcona z drewnianej w szachulcową, a potem w murowaną.

Ślady długiej historii zachowały się w większości wsi w okolicach Zalewa. Miasteczka, jak np. Szymbark i Kamieniec powstawały w czasach krzyżackich w sąsiedztwie potężnych zamków. Na szczególną uwagę zasługuje sieć dróg, która została ukształtowana w taki sposób, by większość z nich prowadziła do Malborka i portów. Intensywnie rozwijały się szlaki wodne, dziś zamulone i zapomniane. W parku nie brakuje wielkich posiadłości, z kościołami i cmentarzami, a także folwarków, wsi z zabudową typową dla regionu, średniowiecznych kościołów i XVIII-wiecznych pałaców.

Atrakcją jest jednak nie tylko architektura, ale również interesująca przyroda: obszary sandrowe i równiny aluwialne, pagórkowate tereny z dominacją zbiorowisk leśnych, 73 zespoły roślinne (olsy, bory bagienne, łozowiska, torfowiska i bagna) oraz aż 790 taksonów roślin kwiatowych. W parku wytyczono kilka tras turystycznych.

POŁOŻENIE:
województwo warmińsko-mazurskie i pomorskie, gmina Iława, miasto Iława, Susz, Zalewo, Stary Dzierzgoń.

PISZ

Historia Piszu związana jest z zakonem krzyżackim, który był właścicielem ziem nad Pisą już w 1255 roku. Po stu latach stanął tu zamek krzyżacki, a około 1422 roku pruscy właściciele rozpoczęli planowe osadnictwo. Do powstawania wiosek przyczyniało się nadanie praw bartnych, a pierwsza wieś Pisz znana była właśnie z produkcji miodu. W historii miejscowości okresy pomyślności, związane z powstaniem tutejszych hut i zakładów, przeplatały się z gorszymi, kiedy wybuchały pożary i toczyły się wojny.

Współczesny Pisz to miasto liczące około 20 tys. mieszkańców. Niestety, nie zachowało się tu wiele zabytków, ale mimo wszystko można odnaleźć kilka śladów historii: ruiny zamku krzyżackiego, budynki mieszkalne czy świątynie. Najciekawszym obiektem jest kościół św. Jana z wieżą pochodzącą z końca XVII wieku. Wart obejrzenia jest także renesansowy ołtarz. Poza kościołem w Piszu zachowało się kilka budynków mieszkalnych, z których najstarszy powstał w XVIII wieku. Natomiast w XIX wieku wzniesiono neogotycką katedrę i ratusz miejski. Pisz zachęca do odwiedzin przyjemnym klimatem, ścieżkami spacerowymi nad rzeką, letnią plażą, kilkoma muzeami. Z nabrzeża można popłynąć w rejs po mazurskich jeziorach statkiem „Smętek" albo korzystając ze szlaku rowerowego, odwiedzić okoliczne miejscowości, park w Kadzidłowie czy Puszczę Piską.

POŁOŻENIE:
województwo warmińsko-mazurskie, powiat piski, nad jeziorem Roś i rzeką Pisą.

POLE BITWY POD GRUNWALDEM

Wszyscy Polacy znanają datę 15 lipca 1410 roku. Tego dnia sprzymierzone wojska dowodzone przez króla Władysława Jagiełłę pod niewielką wsią Grunwald odniosły spektakularne zwycięstwo nad zakonem krzyżackim i ostatecznie pokonały wielkich mistrzów. Przez wieki wydarzenie to traktowano w sposób szczególny, uwieczniano je na płótnach i opisywano w książkach. Pamiątką po tych czasach jest również pole bitwy, przekształcone w rodzaj pomnika-muzeum, na którym corocznie odgrywana jest inscenizacja słynnej bitwy.

Ewenementem pozostaje fakt, że to szczególne miejsce, obejmujące tereny łąkowo-leśne leżące zaledwie 2 km na południowy wschód od wsi Grunwald, pomiędzy trzema innymi wioskami: Łodwigowem, Stębarkiem i Ulnowem, stanowi ważny cel pielgrzymkowy już od 600 lat. Zaraz po wygranej bitwie wzniesiono tu kaplicę z cudownym obrazem Matki Boskiej, do którego udawali się licznie pielgrzymi z podziękowaniem za zwycięstwo. Kaplica została zburzona przez władze pruskie, gdyż stanowiła niewygodną pamiątkę i symbol pokonania Krzyżaków. Wielkiemu mistrzowi Ulrichowi von Jungingenowi wystawiono nawet pomnik. Przegrana Niemców w II wojnie światowej odwróciła losy Grunwaldu. Przeprowadzono tu prace archeologiczne i utworzono muzeum. Współczesnym symbolem bitwy jest pomnik złożony z jedenastu 30-metrowych masztów, z których każdy jest odzwierciedleniem jednej z chorągwi biorących udział w bitwie. Na polu znajduje się także amfiteatr, kopiec Jagiełły, ruiny wspomnianej kaplicy oraz granitowy obelisk.

POŁOŻENIE:

województwo warmińsko-mazurskie, powiat ostródzki, gmina Grunwald, 2 km na południowy wschód od wsi Grunwald, pomiędzy Stębarkiem, Łodwigowem i Ulnowem.

PRANIE

Wielki poeta, Konstanty Ildefons Gałczyński, tak pisał o jednym z najbliższych swemu sercu miejsc: „Tu, gdzie się gwiazdy zbiegły w taką kapelę dużą, domek z czerwonej cegły rumieni się na wzgórzu: to leśniczówka Pranie...". Piękne mazurskie krajobrazy, wspaniała przyroda i wszechobecna cisza to otoczenie leśniczówki Pranie, w której działa muzeum poety. Nazwa miejscowości pochodzi od pobliskiej łąki, o której Mazurzy mawiali, że „prała", czyli okrywała się mgłą. Stojący

tu budynek został wzniesiony około 1880 roku, tuż nad jeziorem Nidzkim, w samym sercu Puszczy Piskiej. Dzięki takiemu usytuowaniu zapewniał znakomite warunki do odpoczynku, a obcowanie z naturą przynosiło natchnienie. Gałczyński odkrył to niezwykłe miejsce w 1950 roku, a ponieważ, jak pisał w swoim wierszu, zauroczyło go „w szybach tyle jesieni, w jesieni tyle skrzypiec" i nocne koncertowanie, rozmowy drzew, promienny blask księżyca i migotanie gwiazd, wracał tu jeszcze kilkukrotnie, aby móc napawać się niespotykaną atmosferą. Jego gospodarzem był leśniczy Stanisław Popowski, który przyjmował go z otwartymi ramionami i sercem. Leśniczówka Pranie tak zapadła w pamięć poety, że planował osiedlić się na stałe nad Jeziorem Nidzkim. Niestety, tylko trzykrotnie odwiedził to miejsce – zmarł w 1953 roku, nie zrealizowawszy marzeń. Pozostał po nich słynny wiersz oraz malowniczo usytuowany, gęsto porośnięty pnączem ceglany budynek, w którym mistrz pióra stworzył swoje najsłynniejsze utwory: *Kronikę olsztyńską, Niobe i Rozmowę liryczną*. Do leśniczówki wiodą dwa szlaki turystyczne – Karola Małka i Konstantego Ildefonsa Gałczyńskiego.

POŁOŻENIE:

województwo warmińsko-mazurskie, powiat piski, gmina Ruciane-Nida, 200 m od drogi gruntowej łączącej Ruciane-Nidę z Karwicą, w odległości 8 km od Rucianego-Nidy.

PUSZCZA BORECKA

K ompleks leśny na skraju Pojezierza Ełckiego, usiany malowniczymi jeziorami, to jeden z najpiękniejszych zakątków regionu. Puszcza Borecka to unikatowe połączenie dużych obszarów leśnych i równie pokaźnych akwenów wodnych. Na terenie około 230 km^2 lasu występuje wyjątkowe nagromadzenie źródlisk, oczek wodnych, cieków i jezior. Jednym z większych jezior jest Łaźno o powierzchni 562,4 ha, ale równie ciekawe są niewielkie zbiorniki wodne, do których zalicza się m.in. Dubinek.

Obecny ekosystem jest efektem odnawiania się roślinności po atakach pasożytów w połowie XIX wieku. Wśród drzew dominują świerki, które zastąpiły gatunki liściaste. Krajobraz jest różnorodny, w okolicach jezior pojawiają się grądy, łęgi, olsy i lasy wysokopienne z bogatym runem, ale również liczne torfowiska. Ukształtowanie terenu nie jest jednolite. W obrębie zespołu znajdują się polodowcowe wzniesienia o wysokości około 200 m n.p.m. – Diabla Góra, Lipowa Góra i Góra Gęsia. Można tu także zwiedzić rezerwaty: „Borki", „Mazury", „Lipowy Jar" i florystyczny rezerwat „Wyspa Lipowa" na jeziorze Szwałk Wielki.

Atrakcyjność Puszczy Boreckiej podnoszą doskonałe warunki do uprawiania turystyki rowerowej, a olbrzymi kompleks wodny, na który składają się jeziora Łaźno i Szwałk Wielki, umożliwia spływy kajakowe szlakiem Łaźnej Strugi. Ciekawostką jest ogromny głaz narzutowy zwany Diabelskim Kamieniem, z którym wiąże się legenda opisana w książce *Mazurskie opowieści* Jadwigi Tressenberg.

POŁOŻENIE:
województwo warmińsko-mazurskie i podlaskie, Pojezierze Ełckie.

PUSZCZA PISKA

J eden z największych kompleksów leśnych w Europie rozpościera się na terenie dwóch województw i kilkunastu gmin, a zajmuje obszar około 100 tys. ha. Dominują tu obszary płaskie i lekko pagórkowate, stanowiące pozostałość po epoce lodowcowej. Na terenie puszczy znajduje się wiele jezior polodowcowych i cieków wodnych, z najbardziej znanym jeziorem Śniardwy. Występują tu torfowiska oraz równiny sandrowe. Niektóre obszary Puszczy Piskiej objęte są ochroną w ramach rezerwatów.

Najważniejsze rzeki puszczy – Pisa i Krutynia przyciągają miłośników kajakarstwa.

W kompleksie leśnym dominują drzewa iglaste z mazurską sosną na czele, dorastającą nawet do 40 m i osiągającą wiek 200 lat. W południowej części przeważają gatunki liściaste – brzozy, klony, olchy i dęby. Lasy obfitują w liczne gatunki zwierząt. Poza popularnymi zającami, sarnami i lisami można tu zobaczyć niedźwiedzia albo rysia. Obszar puszczy jest także ostoją wielu ptaków. Na uwagę zasługują również malownicze jeziorka dyfuzyjne, zabarwione na brązowo dzięki minerałom. Puszcza Piska kryje także wiele ciekawostek kulturowych i architektonicznych, w tym także zapomniane już wioski mazurskie. Do ciekawych atrakcji zalicza się Park Dzikich Zwierząt w Kadzidłowie, gdzie na obszarze 60 ha zgromadzono wilki, jelenie, daniele, łosie, tarpany, dziki, miniaturowe kozy, osiołki i bobry. Puszcza Piska to idealne miejsce do spacerów i wycieczek rowerowych, a także doskonała baza wędkarsko--żeglarska.

POŁOŻENIE:
województwo warmińsko-mazurskie, mazowieckie i podlaskie, pomiędzy Mazurskim Parkiem Krajobrazowym i Niziną Mazurską.

REZERWAT PRZYRODY „BAGNA NIETLICKIE"

Mokradła zwykle postrzega się w odniesieniu do mrocznych legend, opowieści o strzygach i nimfach, które wabią wędrowców, wciągając ich w odmęty. W legendach jest często wiele prawdy, a bagienne tereny mogą być niebezpieczne, jeśli się nie wie, jak się po nich poruszać. Jest to jednak niezwykły ekosystem, o czym może świadczyć rezerwat przyrody „Bagna Nietlickie". Niestety, na terenie naszego kraju nie zostało już wiele takich obszarów. Są one niezwykle bogate w gatunki roślin torfowych i bagiennych oraz różne rodzaje ptactwa wodno-błotnego. Stosunkowo niedu-

że oddziaływanie człowieka sprawiło, że Bagna Nietlickie stanowią królestwo przyrody, w którym niepodzielnie rządzą zwierzęta i rośliny. Niewielka ingerencja związana z uregulowaniem stosunków wodnych dodatkowo przyczyniła się do poprawy warunków środowiskowych, dzięki czemu z roku na rok obserwuje się tu wzrost liczby gniazdujących żurawi.

Bagna Nietlickie to najlepiej zachowane i największe torfowisko niskie na Mazurach, jednak nie przypomina ono pierwotnych formacji, jakie istniały przed wiekami. W wyniku prac melioracyjnych z okolicznych pól zniknęło istniejące tu jezioro Mały Wąż. Obecnie teren torfowisk zajmuje około 550 ha, co stanowi zaledwie część ogromnego pierwotnego kompleksu. Okoliczne tereny porastają lasy z dominującą brzozą i olszą, znajduje się tu też ostoja cietrzewia. Niedaleko rezerwatu ulokowano pola biwakowe.

POŁOŻENIE:
województwo warmińsko-mazurskie, północny kraniec ziemi piskiej, między jeziorami Niegocin i Śniardwy, na terenie gmin Orzysz i Miłki.

REZERWAT PRZYRODY „RZEKA DRWĘCA"

Wycieczka kajakowa rzeką Drwęcą należy do niezapomnianych przeżyć. Malownicze krajobrazy otaczają podróżujących na całej długości szlaku wodnego, a to dzięki ochronie, jaką jest otoczona rzeka Drwęca, począwszy od źródeł do ujścia. Rezerwat ciągnie się na długości aż 249 km. Powodem, dla którego objęto ten obszar szczególną pieczą, jest bogactwo żyjących tu ryb. Jednym z najciekawszych gatunków jest minóg rzeczny oraz nieco mniejszy strumieniowy, zaliczany do prastarych kręgowców, których ewolucyjna historia sięga ponad 400 milionów lat wstecz. Zwierzęta te rozmnażają się tylko raz w życiu, a w tym celu przemierzają długą i trudną drogę wiodącą z ich macierzystego środowiska, jakim jest Bałtyk, w górne partie Drwęcy. Tam składają jaja, z których wykluwają się ślepe larwy. Młode dorastają w rzece cztery lata, żeby odbyć wędrówkę powrotną do morza, gdzie żyją do śmierci. Ciekawostką jest fakt, że z uwagi na zagrożenie ochronie podlegają jedynie młode larwy podczas czteroletniego okresu dojrzewania. Poza minogiem w wodach Drwęcy można spotkać znacznie więcej rzadkich gatunków, w tym głowacze, stanowiące polodowcowy relikt, i troć, a także bolenie, pstrągi, kozy, łososie atlantyckie, piskorze, lipienie, świnki, miętusy. Wzdłuż brzegów wypływającej ze Wzgórz Dylewskich Drwęcy na całej długości ciągną się także interesujące przyrodniczo tereny, zamieszkałe przez bobry, łosie, jelenie, a także nietoperze, wiele płazów i ptaków.

POŁOŻENIE:
województwo warmińsko-mazurskie, powiat olsztyński, iławski, ostródzki, nowomiejski, wzdłuż rzeki Drwęcy.

REZERWAT ŻUBRÓW W KRUKLANKACH

Ż ubry odgrywają w polskiej historii znaczącą rolę. W przeszłości zasiedlały prastare lasy i były celem polowań polskich królów. Z czasem jednak wyginęły i obecnie są przywracane jako gatunek odtworzony przez naukowców. Żubr jest symbolem Puszczy Białowieskiej i nierozerwalnie kojarzy się z czasamu Prasłowian. Okolice Giżycka to jedno z niewielu miejsc na świecie, gdzie w naturalnym środowisku można spotkać te piękne zwierzęta. Ośrodek Hodowli Żubra założono na terenie Puszczy Boreckiej już w 1953 roku, a zaledwie trzy lata później do miejscowości Wolisko zawitały pierwsze żubry wyhodowane w Niepołomicach. Pojawienie się tych zwierząt na wolności jest dziełem przypadku lub też ludzkiego niedopatrzenia. W 1977 roku żubry wydostały się z zagrody. Naukowcy wykorzystali tę okazję, pozwalając adaptować się zwierzętom i rozmnażać na wolności. Dziś ośrodka hodowlanego już nie ma, ale 12 km na północny wschód od Giżycka, we wsi Kruklanki, na terenie 7 ha stworzono zagrodę pokazową, w której ze specjalnie przystosowanego

tarasu można obserwować te dumne zwierzęta. Zazwyczaj jest pięć osobników, zamykanych w zagrodzie w czasie sezonu turystycznego. W Puszczy Boreckiej na wolności żyje ich ponad 70 sztuk, a prognozy przewidują dalsze zwiększenie populacji w najbliższych latach. Ostoja żubrów objęta jest rezerwatem. Ciekawostką jest sposób pozyskiwania środków na utrzymanie stada. Pochodzą one ze sprzedaży odstrzałów eliminacyjnych, które wykupują zamożni ludzie z całego świata.

POŁOŻENIE:
województwo warmińsko-mazurskie, powiat giżycki, 10 km na wschód od Kruklanek.

SANKTUARIUM MARYJNE W STOCZKU KLASZTORNYM

Stara tradycja głosi, że pewien misjonarz zawiesił na wysokim dębie niewielką figurkę przedstawiającą Matkę Boską Bolesną. Około 1622 roku powstała w tym miejscu mała, leśna kapliczka. W latach 1639–1641 z fundacji biskupa warmińskiego zbudowano okrągłą bazylikę, która powstała jako dar dla Matki Pokoju w związku z zakończeniem wyniszczających wojen i podpisaniem pokoju ze Szwecją. Pierwszym elementem jej wyposażenia była kopia obrazu Matki Bożej Śnieżnej sprowa-

dzona z Rzymu przez inicjatora budowy świątyni, biskupa Mikołaja Szyszkowskiego. Cztery lata później osiedlili się w niej bernardyni, którzy w 1666 roku otrzymali klasztor od biskupa Jana Stefana Wydżgi. Sanktuarium w Stoczku przez wieki zdobywało sławę miejsca, w którym dokonywały się liczne cuda uzdrowień, włącznie z przywracaniem wzroku, słuchu i władzy w kończynach. Pielgrzymi przybywali do świątyni nawet wtedy, gdy była zamknięta. Na początku XX wieku poza tradycyjnymi nabożeństwami wprowadzono także rekolekcje. W latach 1953–1954 klasztor

był miejscem odosobnienia prymasa Polski kardynała Stefana Wyszyńskiego. Dziś jest to nie tylko obiekt zabytkowy, ale i miejsce, w którym przyjeżdżający pielgrzymi mogą odpocząć, wziąć udział w wycieczce rowerowej, krajoznawczej, posiedzieć przy ognisku lub odpocząć w pięknym barokowym ogrodzie. W okolicy znajdują się także malownicze klasztorne stawy.

POŁOŻENIE:
województwo warmińsko-mazurskie, powiat lidzbarski, gmina Kiwity.

SANKTUARIUM MARYJNE W ŚWIĘTEJ LIPCE

N iewielka miejscowość, znana już od XV wieku jako miejsce licznych pielgrzymek, położona jest w pobliżu Kętrzyna nad jeziorem Dejnowa. Z powodu licznie przybywających grup pielgrzymów Świętą Lipkę nazywa się często Częstochową Północy. Niewielka wieś stała się popularna dzięki niezwykłej drewnianej figurze Matki Bożej z Dzieciątkiem, którą wyrzeźbił jeden z więźniów kętrzyńskiego zamku. Wierzono, że zawieszona na drzewie figura sprawiała liczne cuda, więc wybudowano dla niej kaplicę, o której wspominają stare dokumenty. Do figury pielgrzymowali nawet krzyżaccy mistrzowie, co wskazuje na jej wielkie znaczenie.

W czasie reformacji kaplicę zniszczono, zastępując ją ku przestrodze pielgrzymów szubienicą. Odbudowy podjęto się w 1618 roku, jednak szybko się okazało, że ze względu na dużą popularność nowa kaplica jest zdecydowanie zbyt mała, aby przyjąć tak wielu wiernych. Z inicjatywy zakonu jezuitów w latach 1688–1693 powstała obecna bazylika Nawiedzenia Najświętszej Maryi Panny. Wzniesienie tak dużego kościoła na niepewnym, podmokłym gruncie wymagało wzmocnienia przez wbicie 10 tys. drewnianych pali. Świątynia, ostatecznie ukończona w 1730 roku, ma cechy barokowe. Na zewnątrz otaczają ją krużganki i kilka kaplic. Zarówno fasada, jak i wnętrze są bogato dekorowane rzeźbami. W środku, zwłaszcza na sklepieniach, można też podziwiać liczne malowidła znajdujące się zwłaszcza na sklepieniach. Cenne są także XVIII-wieczny ołtarz główny z obrazem Matki Boskiej, drewniana rzeźba w srebrnej sukience z XVII wieku, organy oraz bogaty skarbiec.

POŁOŻENIE:
województwo warmińsko-mazurskie, powiat kętrzyński, gmina Reszel.

Sanktuarium Maryjne w Świętej Lipce

SKANSEN GALINDIA W IZNOCIE

O Galindach, pradawnym plemieniu pruskiego pochodzenia, słyszeli zapewne nieliczni. Jednak pojawiająca się moda na interesowanie się przeszłością sprzyja poszukiwaniu wiedzy o poszczególnych regionach. Efektem tego działania jest powstanie specyficznej osady-skansenu – Galindii. Nazwa pochodzi od słowa „galas", czyli koniec. W przeszłości oznaczała najdalej wysunięte wschodnie rubieże Prus. Pierwsze wzmianki o Galindach pochodzą z dzieła Klaudiusa Ptolemeusza napisanego w II w. p.n.e. Znaleziska archeologiczne świadczą, że społeczność była silnie związana z kulturą rzymską. Zrekonstruowana osada (prywatna inicjatywa lekarza psychoterapeuty) to element pośredni pomiędzy żywym skansenem a ośrodkiem wypoczynkowym, składający się z pieczar, lochów, uroczysk, skalnego labiryntu, studni głodowych i zabudowań mieszkalnych i gospodarczych. Właściciele starali się jak najwierniej odtworzyć tradycyjną galindzką osadę, dlatego zorganizowali również pokazy, podczas których można zobaczyć codzienne zajęcia dawnych mieszkańców, zwyczaje i rytuały plemienne, wziąć udział w obrzędach, wysłuchać opowieści przy ognisku lub zaaranżować napad na kolejną grupę turystów. Pobyt w Galindii to nie tylko spotkanie z dawną kulturą, ale również forma terapii.

POŁOŻENIE:
województwo warmińsko-mazurskie, powiat piski, gmina Ruciane-Nida, na półwyspie u ujścia rzeki Krutyni do Jeziora Bełdany, nad rzeką Iznota.

SROKOWO

Pierwsza wzmianka o miejscowości pochodzi z 1397 roku, natomiast współczesną nazwę, upamiętniającą geografa prof. Stanisława Srokowskiego, uzyskała dopiero w 1950 roku. Do tego czasu nazywana była Drengfurte. Prawa miejskie osadzie nadał wielki mistrz zakonu krzyżackiego Konrad von Jungingen. Powstała na niewielkim wzniesieniu, w sąsiedztwie jezior Rydzówka i Mamry oraz w okolicy wąwozu rzeki Omet, co zapewniało doskonałe warunki do obrony. O bardzo wczesnym osadnictwie na tym terenie świadczą odkryte tu kurhany, 64 groby ciałopalne oraz różne przedmioty i ozdoby wykonane z żelaza lub brązu. Na niedalekim, ukrytym w lesie wzgórzu, nazywanym przez miejscową ludnością Diablą Górą, kryją się ruiny zabytkowej wieży. W tym miejscu odnaleziono też ślady prehistorycznego osadnictwa. Wieża powstała na początku XX wieku na pamiątkę śmierci kanclerza Otto Bismarcka dzięki datkom pieniężnym i materiałom ofiarowanym przez mieszkańców Srokowa.

Budowla zachowała się prawie w całości, ale jej konstrukcja grozi zawaleniem. Z Diablej Góry roztacza się piękna panorama na okolicę i jezioro Rydzówka. Do ważnych zabytków Srokowa zalicza się również kościół Świętego Krzyża wzniesiony w XV wieku, kościół ewangelicki oraz ratusz, który został ufundowany przez Jana Zygmunta Hohenzollerna. Pierwotny budynek powstał w latach 1608–1611. Obok ratusza zachował się XVIII-wieczny spichlerz z charakterystycznym murem pruskim.

POŁOŻENIE:
Województwo warmińsko-mazurskie, powiat kętrzyński, gmina Srokowo, nad rzeką Omet.

SUWALSKI PARK KRAJOBRAZOWY

S uwalski Park Krajobrazowy to jeden z niewielu obszarów chronionych na Mazurach, w którym główną atrakcją jest rzeźba terenu. Ukształtowanie powierzchni jest dziełem lądolodu skandynawskiego, dzięki któremu powstało wiele formacji geologicznych, dokumentujących procesy zachodzące przed tysiącami lat. W długim szeregu można odnaleźć formacje takie jak: kemy, tarasy kemowe, sandry, ozy, moreny: czołowe, martwego lodu i spiętrzone, różnego rodzaju doliny, zagłębienia i rynny subglacjalne, do których zalicza się jezioro Hańcza. Ciekawostką turystyczną mogą być głazowiska polodowcowe. O ile nazwy formacji są znane jedynie specjalistom i dla nich stanowią bogaty materiał badawczy, o tyle samo piękno zróżnicowanego krajobrazu jest w stanie docenić każdy przeciętny turysta. Na powierzchni 6284 ha malownicze rzeki Czarna Hańcza i Szeszupa tworzą odmienne krajobrazy, a także 109 źródeł, dziesiątki oczek wodnych ukrytych w lasach oraz okresowe rzeczki i strumyki. Zwiedzanie parku to niezwykła przygoda, gwarantująca wciąż nowe odkrycia za każdym kolejnym zakrętem. Do ciekawych formacji warto dołączyć roślinność, od bogatych lasów mieszanych po kwieciste łąki na zboczach dolin. Przy odrobinie szczęścia można zobaczyć borsuka, wydrę lub bobra. Krajobraz najlepiej podziwiać z wież widokowych pod Smolnikami, na Górze Leszczynowej i w rezerwacie Rutka. W parku znajduje się także kilka ciekawych zabytków: kompleks osadniczo-obronny zwany Górą Zamkową, prehistoryczne osiedle obronne, cmentarze średniowieczne czy gródek na Górze Kościelnej.

POŁOŻENIE:
województwo podlaskie, na Pojezierzu Północnosuwalskim, gminy: Jeleniewo, Przerośl, Wiżajny, Rutka-Tartak.

SZCZYTNO

P odobnie jak większość mazurskich miejscowości Szczytno powstało z małej osady ulokowanej w sąsiedztwie zamku krzyżackiego. Za czas jego powstania przyjmuje się XIV wiek, ponieważ z tego okresu pochodzą znajdujące się tu ruiny siedziby zakonu. Pierwotnie miejscowość była jedynie skupiskiem chat, a miejscowa ludność trudniła się bartnictwem. Do czasów współczesnych poza ruinami nie dotrwały żadne konstrukcje z tego okresu, ale Szczytno może się pochwalić wieloma późniejszymi zabytkami, które powstały już po uzyskaniu praw miejskich w XVIII wieku.

Jednym z ciekawszych i zarazem najstarszych budynków jest ratusz miejski. Z 1718 roku pochodzi ewangelicko-augsburski kościół, wybudowany w stylu barokowym, z interesującym wyposażeniem wnętrza: XVIII-wiecznym ołtarzem, amboną i chrzcielnicą. Największy okres architektonicznego rozkwitu Szczytno przeżywało na przełomie XIX i XX wieku i właśnie po tym czasie pozostało wiele zabytkowych budynków, jak współczesna siedziba Urzędu Skarbowego w dawnym starostwie, Budynek Sądu Rejonowego, dawne żeńskie gimnazjum, szpital, dom dziecka, poczta, kilka kościołów oraz wieża ciśnień. Będąc w Szczytnie, warto również zajrzeć do tradycyjnej mazurskiej chaty albo przespacerować się ulicą Rynkową czy Traktem Królewskim. Miłośników polskiego rocka z pewnością zainteresuje szereg pamiątek po Krzysztofie Klenczonie, grób artysty i jego pomnik.

POŁOŻENIE:
warmińsko-mazurskie, powiat szczycieński.

ŚLUZY GUZIANKA, KARWIK I PRZERWANKI

Budowanie kanałów mazurskich, mających połączyć ze sobą liczne jeziora i cieki wodne oraz utworzyć w ten sposób sieć transportową w kierunku Bałtyku, wymagało na przełomie XIX i XX wieku przezwyciężenia wielu problemów technicznych. Biorąc pod uwagę ówczesne możliwości techniczne i inżynierskie, stworzenie kanału pozwalającego na pokonywanie znacznych różnic wysokości stanowiło nie lada wyzwanie. Podróżowanie kanałami umożliwiały śluzy, których jest wiele na Mazurach. Niektóre z nich nigdy nie zostały ukończone. Do najbardziej znanych i najciekawszych zaliczana jest Guzianka, połączenie dwóch leżących na różnych poziomach jezior: Bełdany i Guzianka Mała. Główny element konstrukcji to komora zamykana z obu stron wrotami. Jednorazowo mieści się w niej nawet 20 jachtów. Po zamknięciu obu par wrót za pomocą specjalnych pomp poziom wody jest obniżany lub podwyższany o 2 m. Śluza działa jak wodna winda, na zmianę w jedną i drugą stronę. Przepompowanie wody w kanale o długości 44 m i szerokości ponad

8 m trwa od 10 do 20 minut.

Równie ciekawym rozwiązaniem jest śluza Karwik pomiędzy jeziorami Roś i Śniardwy, o podobnych wymiarach, lecz mniejszej różnicy poziomów, wynoszącej około 1 m. Ciekawostką jest fakt, że była ona budowana jeszcze w pierwszej połowie XIX wieku wraz z Kanałem Jeglińskim. Znacznie mniejsza, bo zaledwie 25-metrowa jest śluza na Sapinie, we wsi Przerwanki. W przeciwieństwie do dwóch poprzednich, nie mogą nią przepływać łodzie motorowe.

POŁOŻENIE:
województwo warmińsko-mazurskie, Ruciane-Nida, okolice miast Pisz i Giżycka.

TWIERDZA BOYEN I ZAMEK KRZYŻACKI

G iżycko leżące pomiędzy jeziorami Kisajno i Niegocin stanowi nie tylko centrum turystyczno-kulturalne regionu, ale także główny port na szlaku Wielkich Jezior Mazurskich. Miasto odznacza się ciekawą historią, częściowo związaną z panowaniem krzyżackim. Gród nad Niegocinem założono w XVI wieku, ale ślady osadnictwa na tym terenie są znacznie wcześniejsze. Niewielkie wioski istniały tu już w okresie brązu i żelaza, ale najstarsze znalezisko odkryte podczas wykopalisk liczy sobie aż 15 tys. lat.

Długą historię samego miasta dokumentują zabytki. Z czasów krzyżackich pochodzi zamek, dziś pełniący funkcje hotelowe. Średniowieczna budowla powstała około 1341 roku. Początkowo miała być siedzibą krzyżackiego prokuratora, i składała się z budynku mieszkalnego oraz czworokątnego dziedzińca i fosy. W 1365 roku zamek został spalony. W podobnej formie odbudowano go w XVI wieku, ale wprowadzono modyfikacje, które nadały mu cechy stylu renesansowego. Wprawdzie w XIX wieku rozbudowano większość zabudowań, ale obecnie są one odtworzone, więc można podziwiać zamek w takiej postaci, jaką miał w XVI wieku.

Trochę krótsza jest historia XIX-wiecznej Twierdzy Boyen. Obiekt zbudowany z głazów narzutowych i cegły jest najlepiej zachowanym kompleksem obronnym w łańcuchu pruskich umocnień. Fortyfikacja ma kształt gwiazdy z narożnymi bastionami i jest obudowana wałem ziemnym dochodzącym do 33 m wysokości. Całość otacza ceglano-kamienny mur o długości ponad 2300 m. Obecnie budynek jest siedzibą muzeum, galerii, schroniska młodzieżowego oraz kilku innych instytucji.

POŁOŻENIE:
województwo warmińsko-mazurskie, powiat giżycki, nad Kanałem Łuczańskim i Jeziorem Niegocin.

WIATRAKI NA MAZURACH

Wiatraki kojarzą się przede wszystkim z Holandią, ale i na Mazurach można znaleźć kilka takich zabytkowych budowli, które chociaż już w większości straciły swoje dumne skrzydła, wciąż jeszcze przedstawiają dużą wartość jako obiekty kulturalne i zabytkowe. Wiatraki są symbolem lokalnych tradycji związanych z rozwiniętą produkcją rolną. Większość tych ciekawych konstrukcji przestała pełnić swoje funkcje na początku XX wieku, kiedy do rolnictwa wkroczyła mechanizacja i znacznie wydajniejsze młyny wypierały te tradycyjne. Pierwsze konstrukcje wiatraków pojawiły się na Mazurach już w XIV wieku, jednak większość tych które przetrwały, ma nie więcej niż 150–200 lat. Wiatraki powstawały na terenie całej Polski, jednak te mazurskie w odróżnieniu od innych były ośmiokątne. Specjalny wirnik umieszczany na szczycie pozwalał na montowanie dużych skrzydeł. Do najciekawszych wiatraków na Mazurach można zaliczyć zabytek w Rynie, zbudowany w 1873 roku w stylu holenderskim, usytuowany przy trasie Mrągowo–Giżycko, na niewielkim

wzgórzu. Jako jeden z nielicznych jest obiektem murowanym, z dobrze zachowanymi skrzydłami. Równie piękny jest drewniany wiatrak w miejscowości Sterławki Wielkie, pozbawiony wprawdzie łopat, ale za to doskonale utrzymany i zadbany – białe okiennice ładnie kontrastują z wysłużonym ciemnym drewnem. Do najstarszych zabytków zalicza się XVIII-wieczny drewniany wiatrak w olsztyńskim skansenie. Inne, mniej lub bardziej zadbane, znajdują się w miejscowościach: Bęsia, Łąkorz, Stara Różanka, Kleszewo i Grądzkie.

POŁOŻENIE:
województwo warmińsko-mazurskie, różne lokalizacje.

WIGIERSKI PARK NARODOWY

Wigierski Park Narodowy powstał w 1989 roku na powierzchni 14 956 ha, i jak wskazuje nazwa jego centralnym punktem jest jezioro Wigry. O urodzie tego miejsca nie trzeba przekonywać nikogo, kto przynajmniej raz zawitał do Krainy Wielkich Jezior. Zbiornik wodny z wyspami, koloniami ptaków i bogatą roślinnością zachęca do zwiedzania. Ponieważ obowiązuje tu zakaz używania silników spalinowych, panująca cisza pozwala na kontemplację natury w jej najpięk-

niejszej formie. Przez park przepływa rzeka Czarna Hańcza, a wokół znajdują się inne, mniejsze zbiorniki. Większość z nich jest połączona w taki sposób, że tworzy jeden wielki hydrologiczny organizm. Ciekawostką są tzw. suchary, czyli niewielkie mętne jeziora leśne, które dzięki nasyceniu związkami mineralnymi przybierają barwy różnych odcieni brązu. Wiele jezior, jak na przykład: Okrągłe, Kriszyn, Białe Wigierskie i Muliczne, to dawne wigierskie zatoki, które dziś stanowią doskonały przykład ciągłych zmian zachodzących w przyrodzie.

Na terenie parku zachwyca bogactwo flory – samych roślin naczyniowych odnotowano tu około 800 gatunków, ale rosną też mszaki, porosty, grzyby i glony. W większości lasów dominują sosny i świerki, brzozy, olchy, dęby i lipy. Wśród zwierząt przeważają ptaki, lecz można także zobaczyć bobra, borsuka i jenota, a także wilki oraz rysie. W parku znajdują się też ciekawe budynki: zabytkowy klasztor kamedułów, przykłady tradycyjnego ludowego budownictwa, kapliczki i krzyże przydrożne. Dla turystów przygotowano aż 150 km szlaków.

POŁOŻENIE:
województwo podlaskie, na północnym skraju Puszczy Augustowskiej.

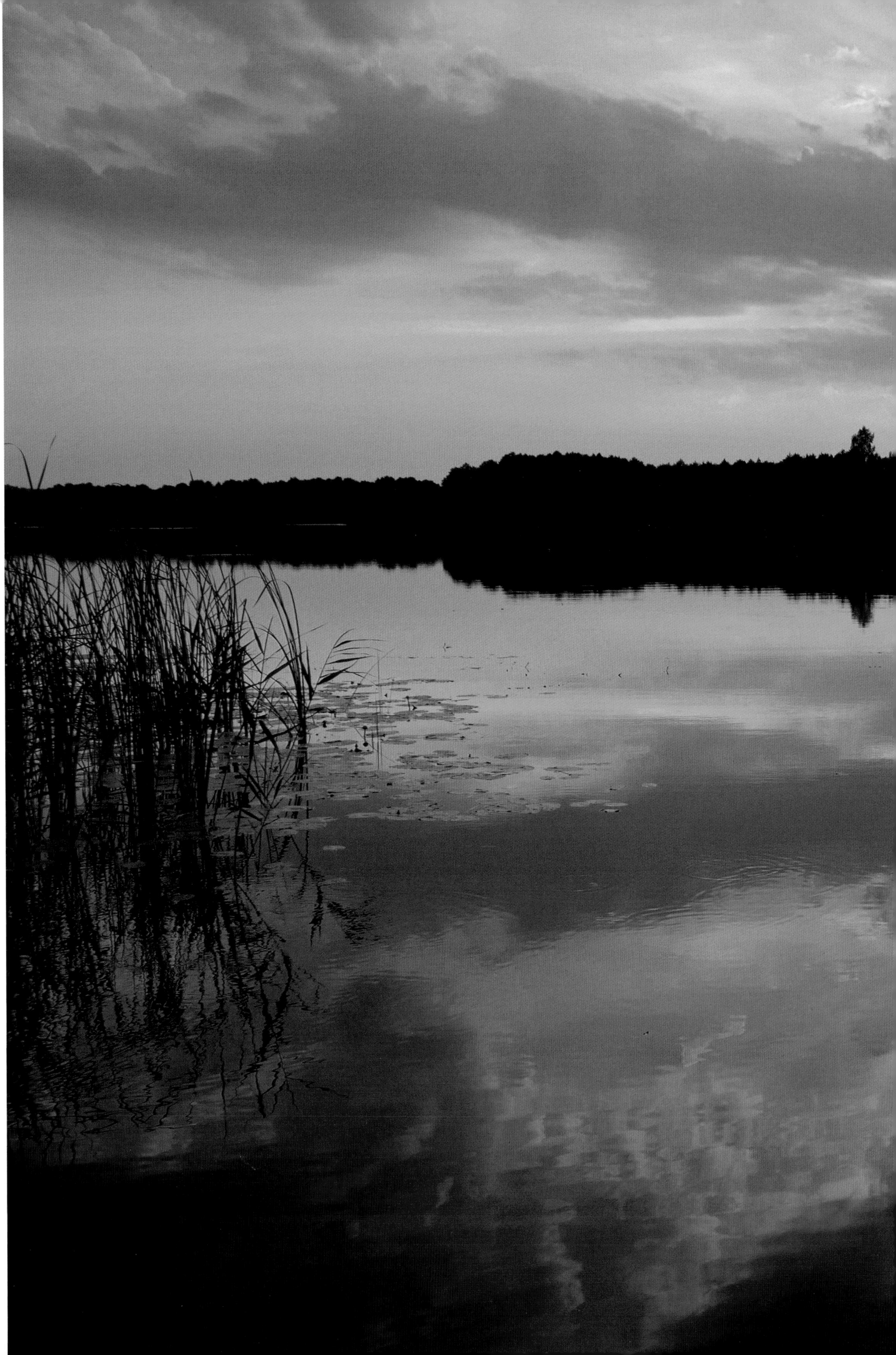

WILCZY SZANIEC

Jeden z najsłynniejszych kompleksów II wojny światowej, nazywany Wilczym Szańcem, powstał w 1941 roku, kiedy Niemcy posuwali się na wschód. Był to doskonale przemyślany zespół zabudowań z częścią mieszkalną, biurami, schronami, pomieszczeniami służb bezpieczeństwa i gospodarczymi, pocztą, garażami, magazynami, a nawet kinem, kasynami i herbaciarniami. Na kompleks zajmujący powierzchnię 250 ha składało się około 40 instalacji i budynków zapewniających samowystarczalność, bezpieczeństwo oraz mieszkanie. Jako lokalizację wybrano obszar leśny około 8 km od Kętrzyna, w okolicy wsi Gierłoż. W Wilczym Szańcu na uwagę zasługuje system obronny. Cały rejon otoczono polem minowym i zasiekami. Wspomagał je szereg betonowych stanowisk ckm oraz gęsto usytuowane wieże wartownicze. Wjazd umożliwiały trzy doskonale strzeżone bramy. Cały obszar został zamaskowany. Budowano nawet sztuczne drzewa z metalowych rur, aby uzupełnić te wycinane. Mieszkańcy kwatery mogli korzystać z dwóch lotnisk, połączenia kolejowego i szosy Gierłoż–Parcz. Poza głównym lotniskiem wszystkie pozostałe przecinały teren kompleksu. Stała załoga Wilczego Szańca liczyła 2100–2200 osób, a dodatkową grupę tworzył personel pomocniczy, jak kucharze, fryzjerzy czy sekretarki. Przywódca III Rzeszy spędził w Wilczym Szańcu w okresie od czerwca 1941 roku do listopada 1944 roku około 800 dni. Tu również miał miejsce słynny zamach na Hitlera. Niemieccy żołnierze przed wycofaniem się w 1945 roku wysadzili kwaterę, a o ilości użytych ładunków świadczą zniszczenia.

POŁOŻENIE:

województwo warmińsko-mazurskie, powiat kętrzyński, gmina Kętrzyn.

ZABYTKOWE MOSTY KOLEJOWE W STAŃCZYKACH

Wśród uroczych pagórków i łąk, za wsią Stańczyki, wznoszą się potężne wiadukty nieczynnej linii kolejowej Gołdap–Żytkiejmy, liczącej 31 km długości i przecinającej potężną dolinę. Teren, po którym przebiegła linia, jest obszarem polodowcowym, a jego krajobraz charakteryzuje się znacznymi różnicami wysokości względnej. Występują tu głębokie doliny i wąwozy, środkiem których płyną niewielkie rzeki. Mosty w Stańczykach, powstałe na terenie pięknej Puszczy Romnic-

kiej, są najwyższymi na linii i jednymi z najwyższych w Polsce, pochodzą jeszcze z okresu przed I wojną światową. Jako pierwszy powstał most południowy, którego budowa została zakończona w 1917 roku, a w 1918 roku most północny. Ich konstrukcja charakteryzuje się doskonałymi proporcjami i harmonią, a filary ozdobione są elementami wzorowanymi na rzymskich akweduktach w Pont-du-Gard. Pięcioprzęsłowe budowle z żelbetonu mają długość 200 m i wysokość 36 m, ich łuki wsparte na wysokich filarach robią imponujące wrażenie. Pod mostami płynie głębokim polodowcowym wąwozem niewielka rzeka Błędzianka, a w okolicy można podziwiać przepiękną przyrodę – lasy porastające uformowany przez lodowiec obszar. Mosty przez dłuższy czas były wykorzystywane jako miejsce skoków na bungee, jednak z uwagi na zagrożenie niepewną konstrukcją skoków zakazano.

POŁOŻENIE:

województwo warmińsko-mazurskie, gmina Dubeninki, Kiepojcie nad rzeką Bludzią i jeziorem Przerośl, Stańczyki nad rzeką Błędzianką.

ZAGRODA KURPIOWSKA W KADZIDLE

Mazury to duży region geograficzny urozmaicony zarówno pod względem krajobrazowym, jak i kulturowym. Zamieszkuje go m.in. ludność kurpiowska, która stanowi integralną część społeczności Mazur, ale wyodrębnia się zarówno obyczajami, jak i strojami regionalnymi i architekturą wiejską. W niewielkiej miejscowości Kadzidło znajduje się ciekawy skansen, prezentujący kurpiowskie gospodarstwo z okresu pomiędzy końcem XIX i początkiem XX wieku. W przeciwieństwie do innych tego typu muzeów na wolnym powietrzu kurpiowski skansen w Kadzidle jest niewielki, zajmuje zaledwie 1,5 ha. Można tu zobaczyć drewniane budynki – chaty kurpiowskie, stodołę i spichlerz – oraz mniejsze elementy architektoniczne, jak np. studnię z żurawiem i kapliczkę z popularną na Kurpiach figurą św. Jana Nepomucena. Odtworzono też tradycyjne wyposażenie kurpiowskiego domu.

Chata z Golanki to asymetryczny dom o szerokim froncie i charakterystycznej zrębowej konstrukcji, wyposażony w system grzewczy. Typowymi elementami wnętrza jest sień z balią, żarnami, wirówką do miodu i korytem do oprawiania mięsa. Wewnątrz głównej izby znajduje się piec chlebowy, a także święty kąt, czyli cechujący kurpiowskie chaty rodzaj kapliczki. Można też zobaczyć tradycyjne meble i elementy wystroju. Z kolei w stodole jest tradycyjna wozownia, maneż, drwalnia i olejarnia, która w przeszłości pełniła też funkcję miejsca towarzyskich spotkań.

POŁOŻENIE:
województwo mazowieckie, powiat ostrołęcki, gmina Kadzidło.

ZAMEK KRZYŻACKI W BARCIANACH

Niewielka wieś Barciany usytuowana jest zaledwie 18 km na północ od Kętrzyna, niedaleko granicy z obwodem kaliningradzkim. Jest to okolica doskonale nadająca się na rowerowe wycieczki, a w całym rejonie jest sporo krzyżackich zamków, które warto zobaczyć. Zamek w Barcianach został ulokowany w południowej części wsi, od strony Kętrzyna. Historia budowli sięga średniowiecza i drewniano-ziemnego grodu dawnego plemienia Bartów. Jak większość pruskich osad także i ta została zajęta przez Krzyżaków w XIII wieku, a pod koniec XIV wieku przekształcono ją w zamek murowany. Te sto lat historii okraszone było wieloma krwawymi wydarzeniami, niszczeniem i odbudowywaniem, buntami oraz mordowaniem ludności, dlatego z biegiem czasu powstawały coraz solidniejsze konstrukcje. Po sekularyzacji zakonu z biegiem czasu warownia traciła stopniowo funkcje militarne na rzecz gospodarczych, a kolejne przebudowy pozbawiały ją cech obronnych. Powstały też nowe obiekty, jak spichlerz czy niewielki budynek. Przed I wojną światową prywatni właściciele przekształcili zamek w folwark: dobudowali segmenty gospodarcze, organizując teren wokół budowli i przystosowali go do funkcji ogrodowych. Rolniczy charakter został zachowany także po II wojnie. W budynku ulokowano biura PGR-u, a potem Agencji Rynku Rolnego. Od 2001 roku budowla pozostaje w rękach prywatnych, chwilowo bez konkretnego przeznaczenia. W kompleksie zachował się średniowieczny czworobok ceglanych murów, gotyckie skrzydło wschodnie, baszta narożna, brama wjazdowa oraz fragmenty północnego skrzydła.

POŁOŻENIE:
województwo warmińsko-mazurskie, powiat kętrzyński, gmina Barciany, wieś Barciany.

ZAMEK KRZYŻACKI W DZIAŁDOWIE

Działdowo to miejscowość na Mazurach, w której znajdują się ruiny średniowiecznego zamku krzyżackiego. Jedyna zachowana w całości od czasów powstania część to pierwotny budynek mieszkalny, który zajmują urzędy miejskie. Przez wieki zaniedbana konstrukcja niszczała i groziła jej całkowita degradacja. Można również zobaczyć fragment dawnej bramy, północny i zachodni mur obwodowy oraz pozostałości wieży bramnej. Niestety zabytkowy obiekt nie został odbudowany według wstępnych założeń, lecz rozbudowany w nowoczesnym stylu, w rezultacie powstała niezbyt harmonijna kompozycja.

Początki zamku w Działdowie sięgają XIII wieku, kiedy tutejszą osadę nabył zakon krzyżacki. W tym strategicznie położonym miejscu wybudowano drewniany gród, który z czasem rozbudowywano. Funkcje obronne spełniał aż do słynnej wyprawy Jagiełły przeciw zakonowi krzyżackiemu. Zamek zajęto na trzy dni przed bitwą pod Grunwaldem, ale w polskich rękach pozostawał krótko, wracając w posiadanie Krzyżaków, którzy krwawo zemścili się na mieszkańcach za zdradę. W 1455 roku Krzyżacy po raz trzeci przypuścili szturm na miasto, tym razem jednak nie zdołali go zdobyć. Kolejne lata przynosiły liczne spory, które ostatecznie zakończył pokój w 1466 roku, na mocy którego Działdowo przeszło w posiadanie zakonu krzyżackiego. Po sekularyzacji zamek był dzierżawiony przez polskich szlachciców, stanowił też siedzibę Karola X Gustawa, pełnił także funkcje gospodarcze. W kolejnych latach został częściowo rozebrany, a następnie zniszczony w wyniku działań wojennych. Dopiero w 1973 roku podjęto próbę jego odbudowy, dzięki której otrzymał obecną formę.

POŁOŻENIE:
województwo warmińsko-mazurskie, powiat działdowski, nad rzeką Działdówką.

ZAMEK KRZYŻACKI W NIDZICY

Historia zamku w Nidzicy związana jest z zakonem krzyżackim, który pojawił się w XIII wieku na terenie Puszczy Galindzkiej. Założona tam osada była najbardziej wysuniętymi na południe włościami ziemi pruskiej. Początkowo był to drewniano-ziemny fort Neidenberg. Z czasem stał się zalążkiem warowni nadgranicznej. Niepokoje sprawiły, że w 1370 roku rozpoczęto jego przebudowę, w wyniku której powstała murowana forteca. W 1409 roku zamek został siedzibą prokuratora krzyżackiego. Ciągłe modernizowanie budowli sprawiło, że stała się ona najsilniejszą warownią krzyżacką w tym rejonie.

Szczególne znaczenie dla Nidzicy miało oblężenie miasta i walki w 1414 roku, kiedy to wojska Władysława Jagiełły osiem dni szturmowały twierdzę. Dwa miesiące po jej zdobyciu przez Polaków komtur Ostródy – Jan von Bichau ponownie zaatakował, wykorzystując fakt, że armia Jagiełły toczyła walki w innym rejonie. Ówczesna wojna nazywana była też głodową z powodu masowego niszczenia zapasów żywności przez wycofujących się Krzyżaków. Warownia odegrała też ważną rolę podczas potopu szwedzkiego, z czasem jednak podupadła. Była kilkakrotnie odrestaurowywana.

Dziś w zamku działa wiele instytucji kulturalnych, w tym Muzeum Ziemi Nidzickiej, Bractwo Rycerskie Komturii Nidzickiej, galeria, ośrodek kultury, biblioteka i pracownia rzeźbiarska. Kompleks otacza XIX-wieczny park.

POŁOŻENIE:
województwo warmińsko-mazurskie, powiat nidzicki, gmina Nidzica, nad rzeką Nidą.

ZAMEK KRZYŻACKI W PASŁĘKU

O zamku w Pasłęku słyszał zapewne każdy pasjonat historycznych zagadek i poszukiwacz skarbów, ponieważ właśnie tu według legendy ukryta została słynna Bursztynowa Komnata. Mieszkańcy opowiadają, że w 1944 roku w zamkowych piwnicach złożono dziesiątki skrzyń, przywiezionych wojskowymi ciężarówkami. Niestety, trudno stwierdzić czy jest to prawda.

Murowana twierdza została wzniesiona w XIV wieku w miejscu drewnianego fortu. Jednoskrzydłowa budowla z dwiema wieżami, wzniesionymi zgodnie z regułami budownictwa krzyżackiego, znalazła się w obrębie murów miejskich, ale była wyraźnie od niego oddzielona fosą i umocnieniami. W połowie XV wieku dobudowano drugie skrzydło. Po II pokoju toruńskim obiekt stał się siedzibą komtura. W 1543 roku zamek został doszczętnie zniszczony w pożarze, a podczas odbudowy nadano mu obecny kształt. Dobudowano dwa dodatkowe skrzydła, które zamknęły czworobok, dzięki czemu powstał wewnętrzny dziedziniec. Kolejna przebudo-wa została przeprowadzona w XVII wieku, a dzięki niej zamek wytrzymał oblężenie Szwedów w 1659 roku. Mimo że budynek był dość nowoczesny, został przeznaczony na koszary i magazyny, a potem więzienie oraz sąd. W 1945 roku zamek spłonął w wyniku działalności wojska radzieckiego. Niestety, współczesna odbudowa nie uwzględniła pierwotnych kształtów zamku, dlatego dziś budowla tylko symbolizuje krzyżacką warownię. Skrzydła obecnie służą władzom gminy oraz instytucjom kulturalnym.

POŁOŻENIE:
województwo warmińsko-mazurskie, powiat elbląski, gmina Pasłęk, nad rzeką Wąską.

ZAMEK KRZYŻACKI W RYNIE

Zamek w Rynie to jedna z wielu budowli, które przetrwały do czasów współczesnych po okresie krzyżackiego panowania na Mazurach. Na lokalizację zamku, którego budowę rozpoczęto w 1377 roku, wybrano miejsce pierwszej galindzkiej osady w Rynie. Warownia została wzniesiona w dogodnym miejscu na wzgórzu, co miało jej zapewnić jak najlepsze warunki obronne. Dodatkowo dostępu do zamku miało bronić jezioro Ołów. Bliskość zbiorników wodnych sprawi-

ła, że miejscowa ludność trudniła się rybołówstwem, a bogactwo okolicznych lasów zapewniało zwierzynę i możliwość rozwoju bartnictwa. Dzięki temu zamek w Rynie stał się swoistym magazynem zaopatrzeniowym wielu innych krzyżackich siedzib, dostarczał mięso, ryby i miód. Pierwsza jednokondygnacyjna budowla na planie czworokąta zajmowała powierzchnię o wymiarach 44 x 52 m. Wybór Rynu na stolicę komturii, czyli krzyżackiego okręgu, wymusił rozbudowę. Od 1394 roku w Rynie zasiadał brat wielkiego mistrza Konrada von Wallenrode – Fryderyk, a siedziba służyła Krzyżakom do czasów sekularyzacji. Od 1525 roku w fortecy siedzibę miały władze starostwa. Zamek został wówczas rozbudowany, wzbogacony o nowe skrzydło i wieżę bramną. Od połowy XVIII wieku warownia należała do prywatnych właścicieli, a później władz lokalnych, pełniła także funkcje więzienia, obozu jenieckiego, a także urzędu miejsko-gminnego, domu kultury, biblioteki i muzeum. Obecnie rezyduje tu Mazurskie Centrum Kongresowo-Wypoczynkowego.

POŁOŻENIE:
województwo warmińsko-mazurskie, powiat giżycki, gmina Ryn, nad jeziorami Ryńskim i Ołów.

ZAMEK W SZYMBARKU

Wieś Szymbark, której niemiecka nazwa brzmi Schönberg (Piękna Góra), położona jest nad malowniczym jeziorem niedaleko Iławy. Wybór lokalizacji twierdzy został zdeterminowany obecnością wzgórza, a budowę rozpoczęto pod koniec XIV wieku. Inicjatorem przedsięwzięcia był proboszcz Henryk ze Skarlina. Podczas wojny w latach 1454–1466, toczącej się między Polską a zakonem krzyżackim, twierdza wielokrotnie przechodziła w posiadanie jednej ze stron. Ostatecznie spłonęła, a do dziś nie wiadomo, kto był sprawcą pożaru. Kolejny konflikt polsko-krzyżacki nie przyniósł już takich zniszczeń. Kiedy w 1520 roku pod mury przybyła pięciotysięczna armia pod dowództwem Stanisława Kostki, proboszcz Mikołaj Schoenborn niemal bez walki otworzył bramy. Po sekularyzacji zakonu, przez kolejnych 200 lat, majątek w Szymbarku przechodził w ręce rodzin pruskich, zmieniając też formę stosownie do panującego stylu. W XVIII wieku został przebudowany w stylu barokowym i wzbogacił się o ogród oraz oranżerię, a w XIX wieku przybrał neogotycką szatę i otrzymał

korty tenisowe. Niestety, podczas II wojny światowej zabudowania spłonęły, a ich zabezpieczenie podjęto dopiero w latach 60. XX wieku. Próby gruntowej odbudowy się nie powiodły. Dziś można jeszcze zobaczyć wypalone ściany rezydencji o wymiarach 75 x 92 m, częściowo odrestaurowane kamienno-ceglane mury wraz z basztami, bramą i mostem, resztki zabudowań oraz zarośnięty park.

POŁOŻENIE:
województwo warmińsko-mazurskie, powiat iławski, ok. 10 km na północny zachód od Iławy.

ZESPÓŁ KLASZTORNY W SEJNACH

Początki zabytkowego klasztoru Dominikanów nie wiążą się wcale z przedstawicielami Kościoła, lecz z osobą świecką, jaką był namiestnik kniaź Igor Wiśniowiecki, który wybudował gród obronny nad rzeką Sejną. Zakupił go tutejszy starosta i kierując się proroczym snem, zapisał w testamencie cały majątek braciom zakonnym. W 1610 roku rozpoczęła się właściwa historia klasztoru. Pierwszą budowlą była oczywiście świątynia, w której bracia zakonni mogli odprawiać nabożeństwa i się modlić. Prace budowlane w kościele trwały 22 lata. Ostatecznie budowę całego kompleksu zakończono u schyłku XVII wieku. Dominikanie, znani z zaradności i gospodarności, rozbudowywali majątek, kupili kolejne wsie i folwarki. Nabyli także zarybione jeziora, dzięki czemu mogli czerpać znaczne zyski. W drugiej połowie XVII wieku nastąpił kryzys związany z potopem szwedzkim, zarazą i pożarami, ale po zaledwie 50 latach zarówno klasztor, jak i rozwijające się dzięki niemu miasto Sejny, odzyskały dawną rangę.

Najważniejszym elementem zespołu jest barokowa bazylika Nawiedzenia Najświętszej Marii Panny. Z nieco późniejszego okresu pochodzą dwie kaplice. Najstarszym i najcenniejszym elementem wyposażenia jest XV-wieczna figura przedstawiająca Madonnę szafkową. Pozostałe zabytki pochodzą z XVIII wieku. Budynki przyklasztorne po wojnie służyły celom oświatowym. Obecnie przywraca się im pierwotny wygląd.

POŁOŻENIE:

województwo podlaskie, powiat sejneński, na Pojezierzu Wschodniosuwalskim, nad rzeką Marychą.

ZESPÓŁ PAŁACOWO-PARKOWY W SORKWITACH

Mazury pozostawały pod zarządem Prus przez wiele wieków, począwszy od czasów istnienia zakonu krzyżackiego po okres wojen napoleońskich, co zaowocowało powstaniem wielu zamków i pałaców z różnych okresów. Dziś budynki te są siedzibą instytucji kulturalnych lub hoteli, a jednocześnie stanowią pamiątkę historyczną i przykład dawnej pruskiej architektury.

Do tego typu budowli należy XIX-wieczny pałac rodu von Mirbach i spokrewnionej z nim rodziny von Paleske w Sorkwitach. Został wzniesiony w latach 1850–1856 w niezwykle malowniczym miejscu: na wąskim przesmyku pomiędzy dwoma jeziorami: Lampiackim i Gielądzkim. Neogotycka konstrukcja nie jest pierwszą, jaka powstała w tym strategicznym miejscu, już w okresie średniowiecza była tu pruska strażnica. Obecny kształt budynek otrzymał w wyniku odbudowy po wielkim pożarze w 1914 roku, ale pierwszy zamek wzniesiono w latach 1850–1856. Była to duża, piętrowa budowla z czerwonej cegły, wyposażona w wozownię. Cały kompleks

otacza założenie parkowe o charakterze krajobrazowym, po którym do dziś zachowały się wiekowe drzewa. Elewację budynku zdobią liczne blanki, wieżyczki, ostrołukowe okna i inne detale architektoniczne, upodabniające obiekt do gotyckiego zamku. Charakterystyczny element stanowi ośmiokątna wieża w północno-wschodnim narożniku.

Po II wojnie światowej stał się własnością PGR-u, mieściło się tu przedszkole, mieszkania i biura. Obecnie kompleks znajduje się w prywatnych rękach, dzięki czemu został odnowiony. Otwarto tu hotel i restaurację, która cieszy się dużym uznaniem gości.

POŁOŻENIE:
województwo warmińsko-mazurskie, powiat mrągowski, około 12 km na zachód od Mrągowa.

ZESPÓŁ PAŁACOWO-
-FOLWARCZNY
W GALINACH

Zespół pałacowo-folwarczny w Galinach jest dziś w rękach prywatnych właścicieli, a przekształcony w niecodzienny hotel oferuje zarówno miejsce wypoczynku, jak i bezpośredni kontakt z naturą. Zabytek z XVI wieku, mimo swoich obecnych funkcji, nadal jest w doskonałym stanie. Kompleks pałacowy zawdzięcza swoje powstanie baronowi Botho zu Eulenburgowi, który był jego pierwszym właścicielem. Pierwotnie obronna budowla, usytuowana na wzniesieniu, była otoczona

fosą. Z czasem została przekształcona w renesansową rezydencję, powstały zabudowania folwarczne i obszerny park. Plan pałacu miał kształt litery „U", z centralnym budynkiem mieszkalnym i dwoma skrzydłami. Kiedy skrzydło wschodnie uległo zniszczeniu, pozostała konstrukcja w postaci dwóch narożnie połączonych budynków. Ciekawym uzupełnieniem zespołu zabudowań jest XVIII-wieczny spichlerz w stylu pruskiego muru, doskonale zachowany do czasów współczesnych. Jest to jeden z nielicznych przykładów takiej architektury na Mazurach. Na zespół pałacowo-fol-

warczny składają się: stajnia, wozownia, wieże i zabytkowa brama wjazdowa. W sąsiedztwie pałacu zachowało się także kilka zabudowań folwarcznych z XIX wieku. Do najciekawszych zalicza się kuźnia oraz niewielki budynek z wieżyczką zegarową. Większość zabudowań jest przystosowana do obsługi gości lub potrzeb stadniny. Cała posiadłość otoczona była kiedyś terenami parkowymi, z których do dziś zachowały się cztery hektary.

POŁOŻENIE:
województwo warmińsko-mazurskie, powiat bartoszycki, gmina Bartoszyce.

ZESPÓŁ PAŁACOWO-
-PARKOWY BOGUSŁAWA
FRYDERYKA DÖNHOFFA
W DROGOSZACH

Pałac w Drogoszach sprawia nieco przygnębiające wrażenie – to opuszczony budynek, z pustymi oknami i łuszczącą się farbą na elewacji, jednak trochę wyobraźni pozwala zobaczyć tę piękną rezydencję otoczoną wspaniałym parkiem, tętniącą życiem w XVIII i XIX wieku. Początkowo barokowa, później klasycystyczna siedziba należała do rodu von Dönhoff i uważana była za jeden z najokazalszych szlacheckich pałaców w tej części Prus.

Ród von Dönhoff nabył posiadłość poprzez małżeństwo jednego z hrabiów z córką poprzednich właścicieli von Rautterów. Pierwotna budowla spłonęła, dlatego nowy właściciel zdecydował się na budowę pałacu, wzorowanego na rezydencji we Friedrichstein. Budynek był niezwykle piękny, miał status pałacu królewskiego, godnego przyjmować najznamienitszych władców. Jak większość tego typu siedzib, tak i ta została przebudowana w XVIII i XIX wieku zgodnie z obowiązującą wówczas modą. Budynek powiększono o dwa symetryczne skrzydła i oficyny. Pierwotnie pałac był wyposażony w lustrzane schody, które przekształcono w podjazd dla karet z fontannami oraz kwietnikami. O bogactwie wnętrz może świadczyć określenie wschodniopruski Wersal. Podczas klasycystycznej rozbudowy na początku XIX wieku wniesiono oranżerię, teatr, bibliotekę, sprowadzono bezcenne arrasy i chińską porcelanę. Powstał też park i zabudowania gospodarcze. Po wojnie majątek pałacu rozkradziono, a budynek niszczał bez opieki. Mieściła się w nim Agencja Rolna, obecnie zespół pałacowy znajduje się w rękach prywatnych, a właściciele nie wykazują zainteresowania odnową zabytku.

POŁOŻENIE:

województwo warmińsko-mazurskie, powiat kętrzyński, gmina Barciany, wieś Drogosze, ok. 8 km na zachód od Barcian i 25 km na północny zachód od Kętrzyna.

ZESPÓŁ PAŁACOWO-PARKOWY RODU VON KUNHEIMÓW W JUDYTACH

istoria posiadłości szlacheckiej w Judytach rozpoczęła się w XV wieku. Początkowo majątek należał do rodu von Lesgewangów, ale kilkadziesiąt lat później stał się własnością rodziny von Kunheimów, która w XIX wieku zbudowała piękną siedzibę rodową.

Budowla w stylu klasycystycznym z elementami neogotyku we wsi Judyty, około 18 km na północny wschód od Bartoszyc, powstała w latach 1862–1863 jako kompleks składający się z centralnego budynku mieszkalnego, zabudowań gospodarczo-inwentarskich, w tym rozbudowanego zespołu stajni, oraz parku ze stawem. Elewacja prostokątnego dwukondygnacyjnego pałacu z dwoma tarasami został wyposażona w eleganckie klinkierowe wykończenie. Jedyną nieco ekstrawagancką dekoracją są dwa posągi lwów naturalnej wielkości, wykonane z brązu i usytuowane przy podjeździe. Ciekawa jest również rzeźbiona fasada, na której zapisano datę powstania. Liczne portrety rodzinne, dawniej wyposażenie rezydencji, dziś są własnością Muzeum Warmii i Mazur w Olsztynie. Budynek po II wojnie światowej przeszedł w prywatne ręce, dzięki czemu przetrwał w dobrym stanie do dziś. Na uwagę zasługuje także park. Po dawnych założeniach pozostały jedynie ślady, ale wciąż jeszcze w ogólnej strukturze wyróżnia się piękna dębowa aleja. W przeszłości Judyty znane było z hodowli koni trakeńskich.

POŁOŻENIE:
województwo warmińsko-mazurskie, powiat bartoszycki, gmina Sępopol.

ZESPÓŁ PAŁACOWO-PARKOWY W SZTYNORCIE

Sztynort jest niewielką wioską w okolicy Węgorzewa, którą warto odwiedzić ze względu na XVII-wieczny pałac. Niestety, ogromne koszty renowacji sprawiają, że odwleka się ona w czasie, dlatego na podziwianie zabytku w pełnej krasie trzeba jeszcze poczekać. Jednak mimo wszystko warto tu zajrzeć i pobudzając wyobraźnię, przekonać się, jak mieszkali właściciele ziemscy zaledwie 70 lat temu.

Zespół pałacowo-parkowy w Sztynorcie powstał w XVI wieku jako własność wielkiego rodu szlachty pruskiej – von Lehndorffów, który zarządzał majątkiem aż do 1941 roku, kiedy pałac przeszedł na własność III Rzeszy. Przejęcie kompleksu przez PGR w 1983 roku doprowadziło go do ruiny. W 2009 roku zabytek trafił w ręce Niemiecko-Polskiej Fundacji Ochrony Zabytków Kultury, która ma w przyszłości zająć się gruntowną renowacją pałacu i towarzyszących mu zabudowań.

Obiekt składa się z pałacu, zabudowań gospodarczych oraz parku o powierzchni 18 ha. Pałac zbudowany na wzgórzu, 11,5 m ponad poziomem jeziora Sztynort, był kilkakrotnie przebudowywany. Ostateczny kształt uzyskał w latach 1860–1880, kiedy powstały skrzydła i alkierze w stylu neogotyckim. Park ma symetryczny układ, z alejami dębowymi, lipowymi i grabowymi. Najstarsze okazy drzew zostały posadzone prawdopodobnie około 1600 roku. W parku znajdują się także herbaciarnia i gotycka kaplica. Rezydencja w Sztynorcie usytuowana jest w centralnym punkcie na szlaku Wielkich Jezior Mazurskich. Niedaleko działa duży port jachtowy oraz największa wypożyczalnia jachtów w Polsce.

POŁOŻENIE:

województwo warmińsko-mazurskie, powiat węgorzewski, gmina Węgorzewo, nad Jeziorem Sztynorckim, na półwyspie między jeziorami Dargin, Kirsajty i Mamry.

TEKST: Marcin Jaskulski, Iga Urbanowicz (Ełk, Ełk. Atrakcje, Ełk. Kolej wąskotorowa), Rafał Żytyniec (Ełk. Zabytki)

REDAKTOR PROWADZĄCY: Katarzyna Ogórek

KOREKTA: zespół Wydawnictwa SBM

PROJEKT MAKIETY I OKŁADKI: Paweł Panczakiewicz/PANCZAKIEWICZ ART.DESIGN

WYKONANIE OKŁADKI: Jacek Bronowski

SKŁAD: STUDIO LITERA Luba Ristujczina/www.studiolitera.pl

ZDJĘCIA:

© Dominika Konior: 74d, 74g, 74ś, 75d, 75d

© Maciej Sukalski, Halina Siekierska (www.Brodnica-online.pl): 68g, 68ś, 68-69d, 69g

© Renata i Marek Kosińscy / www.kosinscy.pl: 6ś, 6g,7g, 6-7d, 18-19g, 18-19d, 18ś, 23d, 24d, 24g, 25d, 25ś, 31g, 33ś, 35d, 36g, 37l, 46d, 56g, 57g, 62g, 63g, 65g, 65d, 80ś, 80g, 80d, 81g, 81d, 82g, 82d, 83d, 86g, 86d, 87ś, 88g, 89d, 91g, 92, 102g, 103ś, 107ś, 108ś, 108d, 110-111, 119ś, 126g, 127ś

© Łukasz Remizow: 8g, 9ś, 12g, 14g, 15g, 15d

© Marek Sikorski (deepline.pl): 8d, 9d, 10g, 10ś, 10d, 11g, 11d, 13ś, 13d, 14d

© Rafał Galicki: 12d

Dreamstime.com: © Jdoboszynski (20d); © Piotrwzk (21g); © Pryc1969 (31d); © Foral (70g); © Artemislady (71d); © Mrallen (71g)

Fotolia.com: © Ateneit (2-3); © Michal Kolodziejski (4-5); © Margrit Hirsch (17d); © Alison Bowden (17ś);© Denis Pepin (17gl);© kreatorex (25gl); © remik44992 (26ś);© mskorpion (27d);© Piotr Skubisz (27g); © skyphoto (44dp); © RCH (44gp); © massimhokuto (46g); © skyphoto (50d); © Radoslaw Maciejewski (50g); © Andrea Seemann (51dl); © Marek Klimek (52gp, 53d, 120ś); © Tomasz Kubis (51dl); © Jaroslaw Grudzinski (66g);© Wolszczak (66d); © Olga Jeżak (71ś, 85g); © vanfan (72-73); © anilah (76d); © anilah (77ś); © Tupungato (90g); © piotrwzk@go2.pl (101d); © anetlanda (108g); © Marek Klimek (120ś)

Shutterstock.com: © Przemyslaw Wasilewski (20g, 21gl, 38g, 39, 40-41, 94ś, 95d, 96g, 96-97, 98d); © puchan (42g, 42d, 43ś, 43gl, 47ś, 77d,77g, 78-79); © mskorpion (38ś, 38d, 90d, 91ś); © adamk78 (44ś); © nessa_flame (45d); © Tomas Pecold (45); © Mazzzur (52d); © Peter Krejzl (52ś); © Stanislaw Tokarski (59ś, 59d); © Sergey Uryadnikov (66ś); © remik44992 (91d); © photomim (94d, 95g); © pawlonka (109d)

Wikimedia.org: © Romek (CC BY 3.0) / www.wikimedia.org/wiki/File:E%C5%82cka_Kolej_W%C4%85skotorowa_2.JPG (14ś); © Olaf (CC BY 3.0) / www.wikimedia.org/.../File:Turtul_Mill_Pond.jpg (20g); © Olaf (CC BY 3.0) / www.wikimedia.org/.../File:Czarna_Ha%C5%84cza_valley.jpg (21ś); © Janusz Jurzyk (CC BY 3.0) / www.wikimedia.org/wiki/File:Przysta%C5%84_w_Augustowie.JPG (28d); © Albertus teolog (CC BY 3.0) / www.wikimedia.org/.../File:Augustow_-_sluza.JPG (29ś), © Ludek (CC BY 3.0) / www.wikimedia.org/.../File:Gorczyca_sluzowanie_2.jpg (29d); © Ludek (CC BY 3.0) / www.wikimedia.org/.../File:Kanal_augustowski_2.jpg (29g); © Ludwig Schneider (CC BY 3.0) / www.wikimedia.org/.../File:Gi%C5%BCycko_Statki_003.jpg (32g); © Bazie (CC BY 3.0) / www.wikimedia.org/.../File:Gi%C5%BCycko,_most_obrotowy,_widok_od_pn.,_w_tle_zamek.JPG (32d); © Ludwig Schneider (CC BY 3.0) / www.wikimedia.org/.../File:Gi%C5%BCycko_Most_Obrotowy_003.jpg (33d); © Janericloebe (CC BY 3.0) / www.wikimedia.org/.../File:Kana%C5%82_Mazurski_%C5%9Aluza_Piaski_014.JPG (34d); © Semu (CC BY 3.0) / www.wikimedia.org/.../File:SluzaLesniewoGorne2.jpg (34g); © Janericloebe (CC BY 3.0) / www.wikimedia.org/.../File:Kana%C5%82_Mazurski_Jaz_walcowy_Piaski_001.JPG (35g, 34ś); © Ludwig Schneider (CC BY 3.0) / www.wikimedia.org/wiki/File:K%C4%99trzyn_Widok_og%C3%B3lny_miasta_z_ko%C5%9Bcio%C5%82em_%C5%9Aw._Katarzyny.JPG (36d); © Serdelll (CC BY 3.0) / www.wikimedia.org/.../File:Zamek_K%C4%99trzyn_001.jpg (37ś); © TBS (CC BY 3.0) / www.wikimedia.org/wiki/File:Ratusz_NMR.JPG (48d); © TBS (CC BY 3.0) / www.wikimedia.org/.../File:Widok_Mragowo.JPG (49g); © TBS (CC BY 3.0) / www.wikimedia.org/.../File:Mr%C4%85gowo_Ratusz.jpg (49d); © Alina Zienowicz (CC BY 3.0) / www.wikimedia.org/.../File:Pisz_-_Plac_Daszynskiego_%284%29.JPG (56ś); © Tobias Biehl (CC BY 3.0) / www.wiktionary.org/.../Plik:Eagle_In_Flight_2004-09-01.jpg (54g); © MesserWoland (CC BY 3.0) / www.wikimedia.org/.../File:Mały_jeziorak.JPG (54d); © Peter Mulligan (CC BY 3.0) / www.wikimedia.org/wiki/File:Grus_grus_head.jpg (55g); © 1bumer (CC BY 3.0) / www.wikimedia.org/wiki/File:Szybark_cmentarz_von_Finckenstein.jpg (55d); © Marcin n (CC BY-SA 2.5) / www.wikimedia.org/.../File:Panorama_Du%C5%BCego_Jezioraka.jpg (55ś); © Alina Zienowicz (CC BY 3.0) / www.wikimedia.org/.../File:Pisz_-_Plac_Daszynskiego_%284%29.JPG (56ś); © Alina Zienowicz (CC BY 3.0) / www.wikimedia.org/.../File:Pisz_Rybacka_%287%29.JPG (56d); © Renata Falęcka (CC BY 3.0) / www.wikimedia.org/wiki/File:Rzeka_Pisa.jpg (57d); © Kerim44 (CC BY 3.0) / www.wikimedia.org/.../File:Ga%C5%82czynski_w_Pranie.jpg (60g); © Duży Bartek (CC BY 3.0) / http://commons.wikimedia.org/wiki/File:Lesniczowka_Pranie.13.jpg (60ś); © Duży Bartek (CC BY 3.0) / www.wikimedia.org/.../File:Lesniczowka_Pranie.06.jpg (61g); © Duży Bartek (CC BY 3.0) / www.wikimedia.org/.../File:Lesniczowka_Pranie.09.jpg (61g); © Semu (CC BY 3.0) / www.wikimedia.org/.../File:Kruklanki01.jpg (70d); © Andrzej Gondek (CC BY 3.0) / www.wikimedia.org/.../File:Ratusz_Srokowo.jpg (83ś); © Michał Winiarski (CC BY 3.0) / www.wikimedia.org/.../File:Rezerwat_przyrody_Rutka.jpg (84ś); © Aisog (CC BY 3.0) / www.wikimedia.org/.../File:Suwalski.park.krajobrazowy.6.JPG (84d); © Aisog (CC BY 3.0) / http://commons.wikimedia.org/wiki/File:Suwalski.park.krajobrazowy.4.JPG (85d); © Zbigniew.czernik (CC BY 3.0) / www.wikimedia.org/.../File:Szczytno_-_pomnik_Klenczona.jpg (87g); © Semu (CC BY 3.0) / www.wikimedia.org/wiki/File:PrzerwankiSluza.jpg (89g); © Ralf Lotys (CC BY 3.0) / www.wikimedia.org/.../File:2009-07_Stara_R%C3%B3%C5%BCanka_1.jpg (93d); © Semu (CC BY 3.0) / www.wikimedia.org/.../File:Gr%C4%85dzkie,_zrujnowany_wiatrak_holenderski.jpg (93ś); © Honza Groh (CC BY 3.0) / www.wikimedia.org/.../File:Bęsia,_01.jpg (93g); © Alfista33 (CC BY 3.0) / www.wikimedia.org/.../File:Wilczy_Szaniec_37.jpg (98d); © Honza Groh (CC BY 3.0) / www.wikimedia.org/.../File:Wilczy_Szaniec,_48.jpg (99ś); © Semu (CC BY 3.0) / www.wikimedia.org/.../File:Stanczyki1.jpg (100ś); © Semu (CC BY 3.0) / www.wikimedia.org/.../File:Stanczyki-panorama1.jpg (101g); © Ludwig Schneider (CC BY 3.0) / www.wikimedia.org/.../File:Barciany_Zamek_Krzy%C5%BCacki_05.JPG (104-105); © Adam_Nowakowski (CC BY 3.0) / www.wikimedia.org/.../File:Dzialdowo_zamek.jpg (106); © Dawid Galus (CC BY-SA 3.0 PL) | wikimedia.org/.../File:647024_Nidzica_zamek_Krzyżacki_07.JPG (109g); © Semu (CC BY 3.0) / www.wikimedia.org/.../File:RynCastle1.jpg (112-113d); © ZeroJeden (CC BY 3.0) / www.wikimedia.org/.../File:Zamek_w_Szymbarku_ko%C5%82o_I%C5%82awy.jpg (114g); © Sq2eey (CC BY 3.0) / www.wikimedia.org/.../File:Szymbark_Zamek-Ruiny001.JPG (115d); © Ludwig Schneider (CC BY 3.0) / www.wikimedia.org/wiki/File:Sejny_Ko%C5%9Bci%C3%B3%C5%82_NMP_o%C5%82tarz_%C5%9Aw.Franciszka.jpg (116d); © Ludwig Schneider (CC BY 3.0) / www.wikimedia.org/wiki/File:Sejny_Ko%C5%9Bci%C3%B3%C5%82_NMP_o%C5%82tarz_g%C5%82%C3%B3wny.jpg (116g); © Ludwig Schneider (CC BY 3.0) / www.wikimedia.org/wiki/File:Sejny_Ko%C5%9Bci%C3%B3%C5%82_NMP_Wn%C4%99trze,_widok_og%C3%B3lny.jpg (117d); © Polimerek (CC BY 3.0) / www.wikimedia.org/.../File:Church_and_monastery_in_Sejny_cropped.jpg (117g); © GringoPL (CC BY 3.0) / www.wikimedia.org/.../File:Sorkwity_-_%C5%9Bcie%C5%BCka_dydaktyczna_%2840%29.jpg (118-119); © KubaaJ (CC BY-SA 3.0) / www.wikimedia.org/.../File:Pałac_w_Judytach_(front).jpg (124–125); © Polimerek (CC BY-SA 3.0) / www.wikimedia.org/.../File:Sejny_Bazylika_NMP_fasada.jpg (116ś); © Ralf Lotys (CC BY-SA 3.0) / www.wikimedia.org/.../File:2006-04_Barciany_01.jpg (104ś); © Ludwig Schneider (CC BY-SA 3.0) / www.wikimedia.org/.../File:Galiny_Rezydencja_005.jpg (120g); © Ludwig Schneider (CC BY 3.0) / www.wikimedia.org/.../File:Galiny_Rezydencja_003.jpg (121d); © Ludwig Schneider (CC BY 3.0) / www.wikimedia.org/.../File:Galiny_Rezydencja_009.jpg (121g); © Leonce49 (CC BY-SA 3.0) / www.wikimedia.org/.../File:D%C3%B6nhoff3.JPG (122d); © chorle (CC BY-SA 3.0) / www.wikimedia.org/.../File:D%C3%B6nhofst%C3%A4dt_%2808%29.JPG (122G0; © Ralf Lotys (CC BY 2.5) / www.wikimedia.org/.../Plik:2008-02_Drogosze_12.jpg (123g); © Ralf Lotys (CC BY 2.5) / www.wikipedia.org/wiki/Plik:2008-02_Drogosze_18.jpg (123ś); © Ralf Lotys (CC BY 2.5) / www.pl.wikipedia.org/wiki/Plik:2008-02_Drogosze_19.jpg (123d); © KubaaJ (CC BY-SA 3.0) / www.wikimedia.org/.../File:Pa%C5%82ac_w_Judytach_%28front%29.jpg (125)

Public domain: 30g, 30ś, 47g, 48ś, 64d, 64ś, 88ś, 99d, 99g, 114d, 115ś, 115d, 126d, 127d

Zdjęcia na okładce:
© Łukasz Remizow (2 zdjęcia)
Fotolia.com: © Radoslaw Maciejewski (2 zdjęcia), © skyphoto, © Mariusz Świtulski
Shutterstock.com: © Jaroslaw Grudzinski, © puchan, © Mariusz Switulski (3 zdjęcia), © Jaroslaw Grudzinski, © remik44992, © parnick

Wydanie II 2016
© Copyright for the text, cover and layout by Wydawnictwo SBM Sp. z o.o.
Warszawa 2013

Wydawnictwo SBM Sp. z o.o.
ul. Sułkowskiego 2/2
01-602 Warszawa

 www.WYDAWNICTWO-SBM.pl

ISBN 978-83-8059-263-6